건축의 신 11

반자개 장편 소설

초판 1쇄 찍은 날 | 2017년 2월 9일
초판 1쇄 펴낸 날 | 2017년 2월 16일

지은이 | 반자개
펴낸이 | 예경원

기획 | 위시북스
편집책임 | 박우진
편집 | 이즈플러스

펴낸곳 | 예원북스
등록번호 | 제396-2012-000132호
등록일자 | 2012. 7. 25
KFN | 제1-068호

주소 | 경기도 고양시 일산동구 호수로 646-24 위너스21 II 빌딩 206A호 (우)10401
전화 | 031-819-9431 팩스 | 031-817-9432
E-mail | yewonbooks@naver.com

ISBN 979-11-6089-080-8 04810
       979-11-5845-549-1 (set)

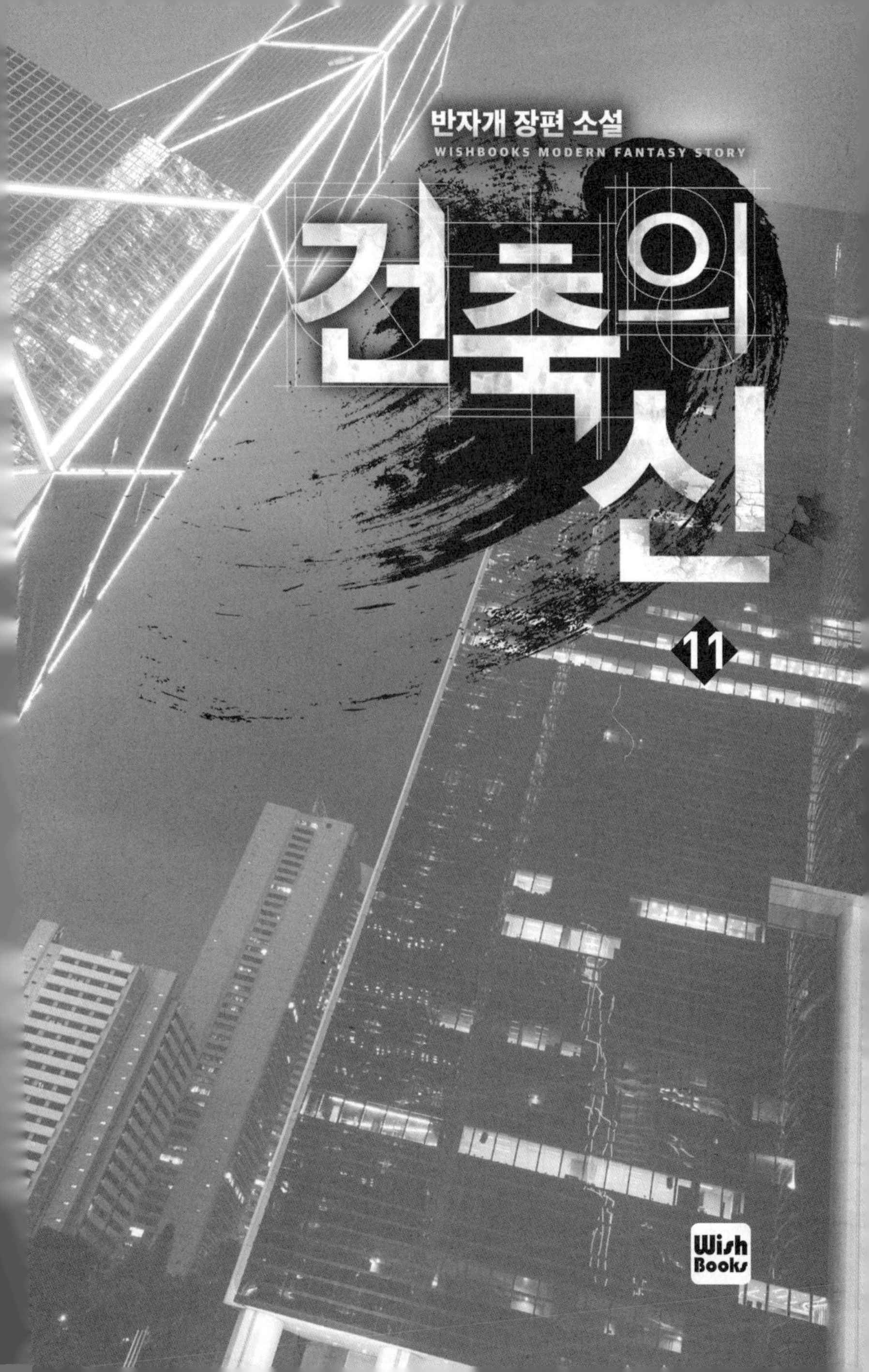
반자개 장편 소설
WISHBOOKS MODERN FANTASY STORY
건축의 신
11
Wish Books

CONTENTS

건축의 신

74장
속도전(1)

 승범이 말하는 사이, 민수가 물었다.

 "형, 왜 승범 선배한테 발언권을 주는 거예요? 승범 선배가 형을 별로 안 좋아하는데⋯⋯."

 말끝을 흐리는 모양새로 보아, 내가 걱정되는 것이 분명했다.

 혹시 주도권을 빼앗기지나 않을까 하는 염려 말이다.

 "저 봐봐. 승범이가 내가 할 말을 대신해 주고 있잖아. 내가 똑같은 말을 해 봐야, 비난만 받을 뿐이라고."

 악덕 사장이 열심히 하자고 해 봐야, 그 말이 먹힐 리가 없지 않겠나!

 '돌멩이가 날아오지 않으면 다행이게.'

똑같은 말을 해도 말하는 사람에 따라서 그 의미도 느낌도 다르게 전달된다.

그리고 그 일을 승범은 잘 해내고 있었다.

"그럼 승범 선배가 형이 하려는 말을 대신해 주고 있다, 그거죠?"

"응. 승범이가 생각보다 눈치가 빠른 녀석이거든."

아까 휴게소에 있었던 일을 슬쩍 이야기해 주었다.

"아하! 그럼 승범 선배가 제 발 저려서, 저렇게 열변을 토하고 있는 거구나."

말하는 중간에도 나를 힐끗 쳐다보며, '나는 네 편이야, 날 미워하지 마'라는 적극적인 어필을 하고 있었다.

"이제 왜 형이 그러는지 이해를 했네요. 어제부터 계속 승범 선배가 말을 하니까, 애들이 잘 따르더라고요."

"그래. 사실 그것도 한몫을 했지. 애들 다루는 데는 일가견이 있더라고."

좋은 재능 썩히면 뭐하니?

최대한 살려서 써먹어야지.

꼭 전공 점수가 뛰어난 사람이 좋은 결과를 내는 것이 아니다.

사람이란, 스펙만으로 결정되는 것이 아니라, 그 외의 요소들, 눈에 보이지 않는 것들로 이루어진 하나의 존재다.

한낱 닭 울음소리도 목숨을 살리는 데 도움이 되지 않던가.

"나와 사이가 안 좋은 승범이 내 의견을 들어줄 정도면, '정말 다른 수가 없나 보네' 하고 생각하지 않을까? 저거 봐. 동조하고 있잖아."

승범의 말에 동의하며, 팀원들이 고개를 주억거리고 있었다.

그들을 보며 말했다.

"내가 했으면 저렇게 못 했을 거야. 또 한바탕 소란이 일었겠지."

반드시 눌러야만 내 목적을 달성하는 것은 아니다.

사실 마음에 상처를 준 뒤, 그 상처를 어루만지는 것이 더 어려운 일이 아닐까?

시간도 없는 마당에 그런 위험을 감수하고 싶지 않았다.

승범이라는 대안이 있는 이상에는 말이다.

"민수야, 아마 앞으로도 당분간은 승범의 발언을 많이 이용할 거야."

"계속 라이벌인 척 하구요?"

"그래. 우리 둘이 한통속이라는 걸 알면, 난 또 제2의 승범을 만들어야 하겠지."

"하긴 그것도 쉽지 않은 일이겠네요."

"응. 지금 상태가 난 가장 베스트라고 봐. 그러니까 너도 승범이에게 힘을 실어주는 척 액션을 취하라고."

승범의 이야기가 거의 끝나가고 있었다.

"조금만 참으면 됩니다."

"여러분도 힘들지만, 팀장은 더 힘들 거라고요."

"그리고 정말 성훈 팀장의 방법이 옳은지 그른지는 며칠 내에 결과로 나타날 겁니다."

"저도 팀장의 강제적인 방식을 좋아하지는 않지만, 이번만 믿고 따라가 봅시다."

한숨 섞인 탄식이 나왔다.

"알았어요. 승범 선배까지 그렇게 말하면……. 뭐. 방법이 없죠."

"그래. 부팀장 말처럼 조금만 더 참자."

"맞아. 지금 우리가 다른 팀들한테 개무시 당하고 있는데, 여기서 멈출 수는 없다고."

"우리 실력을 보여 줄 마지막 기회가 될 수도 있어."

"응. 쫓아낸 걸 후회하게 해 줘야지."

결의를 다지는 모습을 보며, 승범이 단상에서 내려왔다.

승범의 어깨를 두드리며 말했다.

"수고했어, 승범아. 내가 말했으면 싸움밖에 안 났을 건데."

승범이 머쓱하게 웃었다.

"뭐 이 정도로……. 당연히 해야 할 일인데."

고개를 끄덕이는 내게 승범이 말했다.

"팀장, 우리는 한 팀이잖아. 그렇지?"

그의 말에 미소로 응수했다.

"그럼! 우리는 최고의 팀이 될 거야."

팀원들이 의지를 불태우고 있었다.

그들의 마음을 헛되지 않도록, 반드시 결과를 만들어주겠어.

'빡셀 거다. 처지지 말고, 잘 따라와라.'

하지만 지금 상황에서 전진을 말하는 것은 어리석은 일.

그들을 달랬다.

"많이 힘들고 피곤한 거 압니다."

그들의 눈이 나를 향했다.

"하지만 우리는 그걸 감수해야 하는 상황이죠."

"실력을 제대로 보여 주지도 못하고 밀려나는 것보다는, 한 번이라도 제대로 승부를 봐야죠."

불리한 상황에 있음에도 동일한 조건, 동일한 노동력으로 그들을 넘어설 수 있다는 것은 한낱 꿈에 불과하다.

땀 없는 영광이 어디에 있으랴.

그리고 위로도 끝났다.

"왜 이렇게 강행군을 해야 하는지, 그 이유를 설명해 드려야 할 것 같군요."

"먼저 사과 말씀을 드리겠습니다."

'사과라니? 무슨?'

팀원들이 의아해하는 눈빛으로 나를 보았다.

"갑자기 팀을 맡게 되는 바람에 큰 그림을 그리는 데 시간이 걸렸습니다. 아직 내 안에서 정리되지도 않은 것을 말할 수는 없겠지요."

"그럼에도 불구하고, 지금까지 잘 따라와 주셔서 감사하다는 말씀을 드리고 싶습니다."

한 학우가 물었다.

"그럼 이제 완성이 되신 겁니까?"

"네. 아까 안내를 하면서, 이런 생각이 들더군요."

학우들을 둘러보며 말했다.

"저는 지금까지 박람회의 요점은 '전통을 어떻게 보여 줄 것인가?'라고 했습니다."

"네. 그렇게 말씀하셨죠."

"고민의 결과, 방법은 두 가지로 압축이 되더라고요. 첫째. 보여 줄 것을 만든다. 그건 팔상전을 만드는 것으로 해결을 했습니다. 그리고 이제부터 해야 하는 일이구요."

민수를 가리키며 말을 이었다.

"그 일은 모형 제작에 경험이 많은 민수가 주도하게 될 겁니다."

모두 고개를 끄덕였다.

건축과 건물에 들어서기만 하면, 민수의 제작 영상이 모니터에 틀어져 있으니 말이다.

그리고 그 영상 옆에는 에펠탑과 스타타워의 원래 모형이 있다.

"규모는 십 분의 일 비율로 맞출 겁니다."

"그럼 너무 큰 것 아닙니까?"

당연한 의문인지도 몰랐다.

'하지만 어떡하니? 큰 게 좋은걸.'

그의 질문에 민수가 답했다.

"크게 만드는 게 더 디테일 살리기가 좋아요. 지금 형이 원하는 것도 그거거든요."

"민수 학우의 말이 맞습니다. 우리는 보여 주려고 하는 겁니다. 그리고 외양만 보여 주려는 것이 아니라, 보여 줄 수 있는 것은 모두 보여 주려고 하는 겁니다."

"아까 우리가 찍은 사진들. 어느 것 하나도 헛되게 만들지 않겠습니다."

작고 귀여운 것들은 만드는 것이 더 어렵다.

물론 장인의 손길을 더한다면, 불가능하지 않겠지만, 그렇게 하기에는 우리는 모든 것이 부족했다.

시간도, 재능도 모두.

어차피 보이는 게 목적이라면, 작은 쌀알에 글자를 새기는 것보다, 큰 공에다가 글자를 쓰는 것이 옳지 않겠는가?

"팀장, 그럼 두 번째는 뭡니까?"

"보여 줄 것을 만들었으니, 보는 방식을 정해야겠죠."

"그럼 우리도 보람 선배 팀처럼 지붕을 여는 겁니까?"

"그렇게 할 수도 있지만, 지금은 식상합니다. 물론 최종적으로는 모든 아이디어가 합쳐져야 하겠지만, 지금 우리는 어떤 팀과도 달라야 합니다."

"맞아. 쫓겨난 주제에 또 남을 따라 하다가는 비웃음밖에 당하지 못한다고."

그들의 흥분을 가라앉히며 말했다.

"그래서 저는 실제 사람의 눈높이에서 보여 주려고 합니다."

성급한 학우가 물었다.

"어떻게요? 모형 대를 높이려고요?"

"야! 멍청아. 그걸 말하려고, 눈높이를 말했겠어? 팀장이 너 같이 단순한 줄 알아!"

팀원의 핀잔에 그가 고개를 수그렸다.

"그냥 말해 본 거 가지고."

"시간도 없는데, 실없는 말할 틈이 어디 있어? 창의, 창의, 노래 부르는 것 못 들었어? 네 생각 어디가 창의적이야?"

토닥거리는 그들을 보며, 피식 웃음이 나왔다.

'참 다양한 사람들이 모였네' 하는 생각이 절로 들었다.

승범이 그들을 조용히 시키며, 내게 물었다.

"팀장, 구체적으로 예를 들어주십시오."

"건축물의 스케일에 맞춰서 움직이는 인형을 만들 겁

니다."

"왜요? 이유가 뭡니까? 그저 모형을 치장할 장식물 용도
는 아닌 것으로 생각됩니다만."

그의 진지한 물음에 고개를 끄덕였다.

"그 인형이 우리 건물의 가이드가 되는 겁니다."

"가이드요? 누구를 안내한다는 겁니까? 물론 건축물은 움
직이지 않으니까, 사람들의 이목을 끄는 데는 괜찮을지 몰라
도……."

다른 사람들의 생각도 비슷한 것 같았다.

'인형이 가이드를 한다고 해서 그게 무슨 의미가 있을까?'

"저는 그 인형의 눈에 초소형 카메라를 장치할 겁니다."

"카메라요?"

"네. 우린 모형을 만들었지만, 동일한 스케일의 사람을 만
든다면, 사람과 똑같은 눈높이에서 보는 것이 됩니다."

"그래서요? 그렇게 복잡하게 해서 얻는 이득이 뭡니까?"

"실제적으로 그 건물을 본다면 어떤 느낌으로 보이는지를
재현하는 겁니다."

승범이 턱을 괴고 생각하다 물었다.

"그렇게 하면 아마 실제 건물을 보는 느낌이 들겠죠. 하지
만 실제로 사찰이나 건축물에 가서 보면 되는 거잖아요. 굳
이……."

일리 있는 추론에 고개를 끄덕이며 말을 이었다.

"그게 우리의 맹점입니다. 우리는 지극히 우리 관점에서 보고 있죠."

"그게 잘못된 겁니까?"

"박람회의 관람객은 외국인들이거든요. 한국인과는 전통 건축에 대한 상식도 관심도 전혀 없죠."

우리 한민족이 가진 아름다움을 보고 싶으면, 어디 어디 절을 가라?

그들이 왜?

귀찮아서라도 가지 않을 것이다.

그들 자신도 한국 사람들이 아는 것만큼, 한국에 대해서 안다고 생각한다.

'오만이 아니라, 그것밖에 몰라서 그런 거라고.'

우물 안 개구리가 하늘의 크기가 우물의 크기만큼이라 생각하는 것에 대해서 비난할 수 없지 않을까?

적어도 그 개구리에게는 사실의 왜곡이 아니라, 그 자체로 진실이니까.

"그들은 우리가 보여 주고 싶은 것을 아직 보지 못했습니다. 그들에게는 경복궁과 남대문이 한국의 모든 것일 거라 생각합니다."

승범도 수긍이 가는 모양이었다.

"흠. 그럴 수도 있죠."

"다른 것을 보지 못했으니, 궁금하지 않고, 찾고 싶지 않은 겁니다."

"저는 보는 방식에 대해서 말하고 싶은 겁니다. 보는 관점에 따라서 숨겨진 아름다움이 보이기도 하고, 보이지 않을 수도 있습니다. 그렇다면 우리가 가장 아름답게 볼 수 있는 방법을 가르쳐 주면 됩니다."

늘 보던 것이라도, 방향을 약간만 바꾸면 전혀 다르게 보이는 것들이 있다.

혹은 시선만 약간 바꿔도 말이다.

"그들의 편견만 깬다면, 그들에게 한국 문화는 그 자체로 새로운 것이 될 겁니다."

"우리가 보고 왔던 것들을 입체적으로 보여 줄 수 있다는 말이군요."

"그렇습니다. 가이드의 시선으로 보이는 영상을 찍어서 거기에 설명하는 말을 넣을 겁니다.

"말 그대로 가이드가 되는 거군요."

"네. 그래서 그 두 가지가 중요한 겁니다. 만약 우리가 본 만큼, 모형의 품질이 따라주지 못한다면, 실망스러운 영상이 나오겠죠."

"그렇다고 해서 모형은 제대로 만들었는데, 그걸 가이드가 아름답게 보여 주지 못한다면 그것도 실패입니다. 그래서 크게 만들어서 디테일을 살리는 게 중요하다고 했던 겁니다."

학우들이 고개를 끄덕였다.

"팀장의 말은 충분히 이해했습니다만, 그걸 어떻게 만들죠."

대놓고 한숨을 쉬는 학우도 있었다.

충분히 납득은 된다. 성공 가능성도 있어 보인다.

하지만 문제는…… 실행이다.

말은 쉽지만, 실행은 어렵지 않던가!

그들을 돌아보며, 마무리를 지었다.

"이제부터는 여러분의 전공 실력이 필요합니다. 우리가 가진 역량을 모두 짜내야 합니다. 시간은 일주일. 아마도……."

사람들의 시선에 내게 집중되었다.

"쉬는 시간 따위는 없을 겁니다. 아마도……."

"계획은 알겠지만, 그걸 무슨 수로 다 한다는 말이에요?"

"그건 힘든 정도가 아니라, 아예 불가능할 정도라고요. 시간도 없는데."

앞으로 다가올 산 같은 일에 팀원들이 울상을 지었다.

승범이 그들을 달래며 물었다.

"가만 가만. 이야기를 끝까지 들어보자고."

풀이 죽은 팀원을 진정시키며, 내게 물었다.

"두 가지 중에서 모형 만들기는 민수가 주도한다고 했는데, 과연 가능할까요?"

승범이 마른 침을 삼키며 말을 이었다.

"사실 저는 염려가 많이 됩니다. 아무리 민수 학우의 실력은 인정하지만, 그렇게 경험이 풍부하다고 할 정도는 아닌 걸로 알아요."

경험만큼 단시간에 격차를 줄이기 어려운 것도 없으리라.

충분히 공감 가는 말이었다.

"알고 있습니다. 하지만 그 부분은 경험이 있는 분들에게 도움을 요청했습니다."

"장인들요?"

"네. 그렇습니다. 지원 가능한 모든 분을 끌어들일 겁니다. 그건 승범 학우의 말처럼 경험의 문제니까요. 큰 틀은 우리가 진행하되, 실제와 맞지 않는 디테일에 대해서는 철저히 자문을 구할 겁니다."

외국인들에게 보일 것이었다.

그리고 그들은 자기 나라의 지성을 대표하는 사람들이 될 것이다.

실제와 다른 것을 선보임으로써 나중에 법주사를 방문했을 때, 모형에서 느낀 것을 다시 느낄 수 없다면, 그 또한 과장 광고와 뭐가 다르겠는가?

'내 입장에서도 승부가 갈리는 일이라고.'

허투루 작업을 해서 부끄러움을 당하면, 발전의 기틀이 아니라 큰 수치가 될 것이다.

"그렇군요."

장인들이 참여한다고 하자, 자신들의 부담이 확 줄어드는 것을 느낀 것일까?

"진작 말하지. 우리끼리 다 해야 하는 줄 알고 쫄았네."

"그러게. 박 목수님 같은 분 몇 분만 계셔도 우리 일이 훨씬 빨라질걸."

자그마하게 안도하는 소리들이 들려왔다.

승범이 작은 소리로 물었다.

"팀장, 우리가 도움을 받는 것은 좋아. 하지만 다른 팀에서 말이 나오지 않을까?"

자신들은 스스로의 힘으로 했는데, 왜 우리 팀은 장인들을 적극적으로 끌어들이느냐?

충분히 말이 나올 수 있었다.

"페어플레이가 아니라고 비난할 거라는 말이지?"

승범이 고개를 끄덕였다.

"비난하라고 해."

"응?"

"그게 불만이라면 자기들도 장인들에게 도움을 받으라고 하라고. 애초에 누가 장인들의 도움 없이 스스로 해야 한다고 정한 사람 있어?"

'내 코가 석 자인데, 누가 누굴 걱정해?'

변명은 말로 하는 것이 아니라, 결과로 보여 주는 것이다.

"그건 아니지만."

여전히 학생들은 나이 많은 장인들을 어려워한다.

'살아온 환경이 너무 다르지.'

대목장이 불러온 장인들은 어쩌면 사회에서 소외되어 있던 자들일지도 모른다.

그저 전통문화를 지키는 게 자신의 천직이라고 믿고 묵묵히 일만 해 왔던 사람들이다.

'살갑게 아이들을 대할 수 있을 리가 없잖아.'

좋은 환경에서 태어나, 대학이라는 고등교육을 받는 우리와는 전혀 다른 사람들.

하지만 나는 그들의 재능을 살려서 이어야 한다.

'그럼 어울리는 것밖에 방법이 없는데, 지금 보면 아직도 많이 어색해하거든.'

장인들에게 아이들과 친해져라 말해봐야 '소귀에 경 읽기'가 될 것이니, 다가섬의 주체는 우리가 되어야 한다.

'우리가 장인들의 도움을 받아서, 결과를 보여 주면 저들도 장인들을 대하는 태도가 달라지겠지.'

"승범아, 우리 저 녀석들에게 인정사정 봐주지 말고 하자고."

"괜찮겠어?"

"괜찮지 않으면! 녀석들이 쫓아냈는데, 우리가 다른 팀 사정을 봐주게 생겼어?"

승범의 얼굴에 비릿한 미소가 어른거렸다.

"후훗. 그렇지. 쫓겨난 놈이 너무 과분한 생각을 하고 있었네. 죽을 둥 살 둥 쫓아가도 시원찮을 판에."

그의 얼굴을 보던 성훈이 말했다.

"룰이 있으면 승패가 갈리게 되어 있어."

어떤 경우라도 마찬가지가 아닐까?

승자가 있으면 패자가 있기 마련.

"하지만 패자가 반드시 큰 실수를 해야만 패배하는 걸까? 넌 그렇게 큰 실수를 했어?"

승범은 팀에서 쫓겨나 패자가 되었다.

그것도, 팀장이었는데 말이다.

'내가 과연 그렇게 큰 잘못을 했던가? 물론 팀원들과의 관계가 좋았다면, 잘못을 했더라도 서로 감싸 안아줬겠지. 그리고 내가 쫓겨나지도 않았을 거야.'

"아니. 팀에서 쫓겨날 정도로 큰 실수를 했다고 생각하지는 않아."

"그런 경우도 있겠지만, 그렇지 않았음에도 패배하는 경우에는……. 난 이렇게 생각해. 그 규칙이 그 사람에게 맞지 않았다고."

승범이 어렴풋이 생각하던 것이 명확해졌다.

'그 팀이 나에게 맞지 않았다면, 혹은 내가 팀장 자리에 어울리지 않았던 것은 아닐까?'

"승범아. 난 룰이란 옷 입는 것과 비슷하다고 생각해. 아무리 엇비슷한 실력을 가지고 있어도 승자와 패자는 갈리게 되어 있어."

그가 고개를 끄덕였다.

'당연한 말이지. 내가 쫓겨나지 않았다면, 다른 사람이 이렇게 되었을 거야. 필연적으로.'

"그저 그 옷이 그 사람에게 얼마나 잘 어울리느냐 하는 것으로 판가름나는 거지. 그것도 지극히 주관적인 관점에서."

"난 룰 자체에 큰 의미를 두지 않아. 그것도 승자들이 좋아하는 규칙은 더더욱."

지난 삶에서 성훈에게 맞는 규칙이 얼마나 있었을까?

"왜? 룰이 없으면."

"내게 맞지 않는 룰에 매일 필요가 없다는 말이지."

"도우미들의 룰은 누가 정하지 않았다고. 자유 경쟁처럼 보이지. 하지만 경쟁보다는 조금이라도 더 편하게 자기 이익을 챙길 생각만 하잖아."

성훈의 말이 이어졌다.

"장인들의 도움을 받지 말라고 누가 그랬는데?"

승범이 고개를 저었다.

"아무도 말하지 않았지."

"자기들이 장인들이 어색하고 대하기 껄끄러우니까. 최소한의 접촉만을 하는 거잖아. 그러고는 우리도 도움을 받지 마라? 그게 정정당당이야?"

"훗."

"그치? 말이 안 되지?"

"성훈이 네 말을 듣고 보니까 그러네."

"정정당당? 개나 주라 그래. 내가 전혀 납득할 수 없는데. 내가 왜 자기들 좋은 룰을 따라야 하는데? 난 전혀 그럴 생각 없어."

룰이 승자를 만들고, 승자는 그 룰을 고집한다.

제 몸에 맞춘 듯 꼭 맞는 옷을 누가 버리겠는가?

그 옷이 남의 몸에 맞는지 아닌지는 중요하지 않다. 나만 따뜻하면 되니까.

그렇게 이어져 내려온 강자들의 법칙.

'그럼 어떻게 하냐고? 나에게 맞는 옷이 없는데?'

승자가 자신에게 맞는 옷에 희희낙락하고 있는 동안, 패자는 그 옷을 자신에게 맞추면 된다.

내 마음에 들지도 않는 옷을 꾸역꾸역 고집할 필요가 뭐가 있는가?

버릴 수 없다면, 내 몸에 맞추면 되지 않을까?

그게 최선은 아니라도, 차선은 될걸?

"사람들 시선 신경 쓰지 말고, 우리가 만들어 가자. 그 룰!"

"그래도 비난이 거셀 텐데."

성훈이 비릿하게 웃었다.

"패자의 변명은 아무도 듣지 않아."

"훗. 자신만만하구나."

"룰은 절대적인 게 아냐. 움직이는 자가 만들어 가는 거라고. 두고 봐. 다른 팀들 찍소리 못하게 만들어줄 테니까."

성훈이 다른 학우들을 힐끗 보며 말을 이었다.

"여기 모인 녀석들. 지금은 다들 의기소침해 있지만, 난 걱정은 안 해!"

"……."

승범이 말없이 성훈을 응시했다.

'꼴찌들을 모아놓은 팀을 가지고 걱정이 안 돼?'

그의 의문에 미소로 답했다.

"내가 보는 너희들은 아직 패자가 아니거든. 난 우리 팀의 잠재력이 다른 팀에서 평가하는 것보다 훨씬 더 높다고 생각해."

"정말? 정말로 그렇게 생각해?"

"응! 하지만 드러나지 않은 것은 끝까지 잠재력일 뿐이지. 그리고 그건 한계상황에 부딪히지 않으면……. 절대로 깨어나지 않아."

성훈은 묻고 싶었다.

'힘들다. 힘들다 하는데, 정말 힘든 거야? 겨우 이 정도로?'

절박한 심정에 처해 보지 않은 사람은 죽을 때까지 알 수 없다.

아니, 죽은 후에나 알게 되겠지.

좀 더 할 수 있었는데,

좀 더 노력할 수 있었는데.

좀 더 잠을 줄일 수 있었는데.

그랬다면…….

'세상에서 가장 가치 없는 행동이 죽은 뒤에 하는 후회라고.'

잠?

죽으면 평생 자게 될 것을.

수면은 삶의 요소에서 중요한 요소임은 부인할 수 없지만 모든 이에게 동일한 기준을 제시할 수 없듯, 사람에 따라서는 그것이 가장 중요하지 않을 수도 있지 않나?

'내가 가장 줄이고 싶은 요소 중의 하나라고. 적어도 내게는.'

"선택해. 옷을 네 몸에 맞출 건지, 아니면 맞지도 않는 걸 걸친 채, 계속 패배자로 살 건지."

팀원들의 웅성거림이 멈췄을 때, 우리의 속삭임도 끝났다.

승범이 물었다.

"팀장, 건축 모형은 그렇다고 치고. 꼭두각시 로봇은 어떻게 하실 생각입니까?"

마음의 각오를 다진 것인가?

내게 묻는 목소리가 훨씬 경쾌해져 있었다.

지금까지 수동적인 면모를 많이 보였다면, 지금은 능동적이라고 할까?

뭐라고 설명하기 어렵지만, 분위기가 달랐다.

"그 부분은 부팀장이 진행해 줬으면 좋겠습니다."

대답은 바로 나왔다.

"전기, 전자 관련자가 필요합니다."

"그러도록 하세요. 시간은 사흘, 가능합니까?"

"네. 하겠습니다. 아니, 반드시 해내겠습니다."

"승범이 형, 이건 시간이 안 된다고요."

"알아. 우리만 가지고는 안 된다는 걸."

그 말에 의아해하며, 정민이 물었다.

"알면서 그랬다고요?"

"말했잖아. 우리만 가지고는 안 된다고."

우리만. 이게 어떤 의미일까?

"정민아, 난 이 작업에 교수님과 내 친구들의 도움을 받을 생각이야."

"에? 그럼 다른 사람들이 뭐라고 할 텐데요."

"하라고 하지 뭐."

심사를 할 성훈이 어떤 말을 할지는 이미 알고 있다.

결과 없이 말만 한다면 설명이 필요할까?

'그 녀석 성질머리를 확인하고 싶다면 몰라도.'

수단 방법을 가리지 않고 결과를 만들어 낸다면, 과연 성훈이 어떤 반응을 보일 것인가?

승범 자신과 팀 전체를 대신해 변호해 줄 것이다.

'교수님 도움을 받으면 안 된다는 룰이 어디 있어?'

그리고 도리어 다른 팀에게 말하겠지.

'아쉬우면 너희도 그렇게 해!'

승범이 말했다.

"이미 갈 때까지 갔어. 이렇게 허망하게 물러날 바에야, 내가 하고 싶은 건 다 해보고 싶어."

"설령 도움을 받는다고 해도, 잠잘 시간이 없을 정도라고요."

"흥. 일주일 후에 우리 처우가 결정되고 나서. 그 뒤에 자도 충분히 잘 수 있어."

실력을 인정받아 잔류하게 된다면, 흥분되서 잠이 안 올 거고.

반대로 탈락한다면, 아무리 잠을 잔들 뭐라고 잔소리할 사람이 있을까?

"정민아, 그래도 말이야. 원 없이 해봤으니 후회는 없을 거라고."

"휴. 형도 성훈 선배 닮아가는 거 알아요?"

"성훈이가 그러더라."

"뭐라고요."

"개개인의 실력을 평가하려고 팀을 만든 게 아니라고. 혼자서 할 수 없는 일을 하고 싶어서 팀을 만들었다고."

"그거야…… 성훈 선배가 하려는 게 워낙 스케일이 크니까요."

"네가 봐도 그렇지. 이럴 때는 개인의 실력이 결과를 만드는 게 아냐."

"그럼요?"

"결과가 개인의 실력을 말해 주는 거라고."

성훈의 말이 떠올랐다.

'생각해 봐. 사회에 나갔을 때도 마찬가지야. 오로지 개인의 실력만으로 해낼 수 있는 게 얼마나 되겠어. 그럴 것 같으면 애초에 팀을 뭐하러 만들어. 그냥 외톨이 늑대로 혼자 하지.'

'나 혼자서 할 수 있었다면, 이렇게 번거롭게 일을 벌이지도 않았어.'

승범이 휴대폰을 들었다.

"교수님. 사무실이세요?"

─그렇다네. 아직 연구할 게 남아서 말이야.

"급히 상의 드리고 싶은 게 있는데, 들러도 괜찮을까요?"

─그러게. 기다리고 있겠네.

분명 성훈은 결과를 원했다.

'정정당당? 개나 주라고 해. 누가 그게 나한테 정정당당이래!'

자리에서 밀려났다. 자존감이 무너졌다.

'실력으로 보여 주지. 누가 과연 떨거지였는지를.'

결의를 태우던 승범이 말했다.

"나 먼저 간다. 너도 어떻게 할지 선택해. 널 쫓아낸 녀석
들처럼, '정정당당'하게 해서 여기서 밀려날 건지. 아니면 녀
석들에게 늬들도 나처럼 해!라고 당당하게 말할 건지."

환하게 뜬 보름달이 정민을 비추었다.

"휴. 잠은 다 잤네."

한숨을 내쉬며 주머니에서 휴대폰을 꺼냈다.

이틀이 지났다.

어느덧, 모형은 모양을 잡아가고 있었다.

원래대로라면 목구조를 완성하고 기와를 올려야 마땅하겠
지만, 그럴 시간이 어디 있나?

"기와 하나에도 한 땀 한 땀 장인정신을 가지고 올리라고.
플라스틱이라도 대충하지 말고."

가을이 물러나는 계절임에도, 팀원들의 얼굴에는 땀방울
이 송골송골 맺혀 있었다.

다들 벌건 눈에, 판다처럼 다크서클이 생겼다.

'이틀째 밤샘 작업이니, 피곤할 만도 하지.'

"자. 이제 거의 끝나간다. 저거 보이지. 조립 시작했잖아. 시작이 반이라고."

민수도 조각을 하다가, 핀셋을 이용해 기와를 쉽게 올리는 법을 가르쳐 주고 있었다.

"야. 민수는 어떻게 그렇게 쉽게 하냐?"

한 팀원의 감탄에 다른 팀원까지 민수에게 눈을 돌렸다.

"기와에 본드를 먼저 바르면 안 돼요."

민수의 시범이 이어졌다.

"핀셋으로 자리를 잡으세요. 이렇게. 그다음에 주사 바늘을 기와 사이에 넣어서 살짝만. 자! 됐죠? 순간 본드라서 금방 붙으니까, 잠시만 눌러주면 돼요. 이렇게 안 하면 자국이 남아요."

경력자는 뭐가 달라도 다르다.

"응. 지워지지도 않아서 폐기한 게 몇 개인지도 몰라."

"저렇게 하면, 금방 다하겠는데."

'보는 것과 하는 건 다르단다.'

활기가 도는 녀석들에게 일침을 가했다.

"야! 저건 민수니까 가능한 거야."

"성훈 선배, 우리도 할 수 있다고요."

"주사기 사용도 서투른 녀석들이……."

"우리가 알아서 할 테니까, 팀장님은 저쪽으로 가 보세요. 시간 없잖아요."

"훗. 녀석들. 그럼 수고해라."

함께 보낸 시간이 많아서인지, 이제는 서먹함이 많이 사라져 있었다.

"경호야, 기기서 노닥거리지 말고, 이리 와봐."

"선배님, 저 논 거 아닙니다. 제작하는 것 돕고 있었는데."

경호가 내게 다가오며 항변했다.

'녀석. 투덜거리긴.'

도면대로 되고 있는지, 감독을 하라고 했더니, 제 녀석만 놀고 있다고 느꼈던 모양이다. 그게 아니면 아직 경험이 부족해서 감독의 의미를 모르든지.

감독은 손으로 일하는 사람이 아니다.

눈과 머리 그리고 입으로 일한다.

가장 한가해 보이지만, 현장의 어떤 사람보다 바쁘게 움직이는 사람이 바로 감독이다.

경호의 손을 잡고, 몇 걸음 뒤로 물러났다.

"넌 감독한다는 녀석이 이것도 안 보고 뭐 했어?"

"왜요?"

"저거 보이지? 약간 삐뚤어진 거."

"어디요? 잘 세웠는데요?"

경호의 양쪽 귀를 손으로 붙잡고, 두 기둥과 일렬이 되게 시선을 맞추었다.

"여기 말이야. 어때? 이래서 다음 층으로 올라가겠어?"

"아! 좀 기울어졌네요."

경호가 소리쳤다.

"진수 선배님. 선배님 옆의 기둥. 예. 그거 오른쪽으로 살짝. 아니. 2미리만 옮겨 주십시오. 네. 거기요. 거기. 스톱!"

짝눈을 뜨고 손으로 방향을 지시하며, 두 기둥의 수평을 맞추었다.

"경호야, 팀원들하고 손을 맞추는 건 좋은데, 네가 할 일도 확실히 해야 하지 않겠어?"

감독을 해야 할 사람이 망치를 들고 다녀서는, 일이 더뎌지고, 시공의 오류가 발생한다.

각자의 역할이 있는 법.

"네. 알았어요. 선배님."

"네가 진짜로 팀원들을 생각한다면, 작업을 거들어 주는 것보다 한 번에 작업이 끝날 수 있도록 제대로 지시하는 게 더 중요하단 말이야."

다시 경호의 손을 붙잡고, 오른편으로 돌아갔다.

"자. 여기서도 확인해."

경호의 목소리가 다시 한 번 높아졌다.

기울어져 있던 기둥이 제대로 자리를 잡았다.

"한 곳에서만 확인하지 말고, 전체를 확인하란 말이야. 현장에서 제일 바쁜 사람이 감독이야. 알아?"

"네. 알겠습니다."

한 층만 올라가는 거라면, 기둥과 창방을 맞추면서 수평을 조절해도 가능하다.

충분히 여유가 있으니까.

하지만 이런 고층 건물의 경우에는 약간만 하중이 한쪽으로 쏠리게 되면, 그 이후의 작업들은 난항을 겪게 된다.

"아래쪽에서는 작은 차이지만, 위로 올라가면 감당할 수 없이 모양이 흐트러진단 말이야."

"죄송해요. 선배님. 시간이 급한 것 같아서."

"이제부터 넌 어떤 공구도 쥐지 마. 알았어?"

"네. 선배님."

경호의 어깨를 툭 치며 말했다.

"가 봐."

부끄러운 일이지만, 철없던 시절에 감독이 연장을 들고 다니지 않는 이유가 체면 때문이라 생각한 적이 있었다.

하지만 지금은 그렇게 생각하지 않는다.

'그건 효율성의 문제지. 그룹 회장이 자동차 운전할 시간에 경영을 고민하는 게 맞는 것처럼.'

내가 건축을 공부하는 것은 현장에서 삽질하기 위해서가 아니다.

알아야 면장도 한다고, 내가 배운 이론과 실제가 어떤 차이가 있고, 실제 작업에서는 어떻게 응용되는지 확인하기 위함이지.

'현장 감독이 작업자들보다 경험이 부족하면, 그게 정말 체면 깎이는 일이라고.'

감독의 일은 보는 것에 있다.

보는 것을 등한시하거나, 눈높이가 낮아서는 일을 제대로 할 수 없다.

나무를 보려 하면 숲을 볼 수 없고, 큰 그림에만 집착하면 디테일을 확인할 수 없다.

둘 다 한 자리에서 확인할 능력이 되지 못한다면, 발을 재빨리 놀리는 수밖에 없다.

'부족한 경험을 메울 수 있는 건 노력뿐이니까.'

점심시간이 지나고, 다른 팀들도 슬금슬금 모이기 시작했다.

"우와! 벌써 조립 들어간 거야?"

보람이 눈을 동그랗게 뜨며 물었다.

각 팀의 팀장들도 궁금한지, 함께 와서 기웃거리고 있었다.

사람이 오든지 말든지, 팀원들은 관심도 없었다.

무관심이 어색했던지, 보람이 말을 이었다.

"너네는 손에 모터 달았냐? 뭐가 이렇게 빨라? 우리랑 거의 비슷하겠는데?"

"아냐. 내가 물어봤는데, 이 팀 지금 이틀째 철야 작업 하고 있어."

"진짜야?"

팀장들이 고개를 끄덕이자, 보람이 혀를 찬다.

"쯧쯧. 독한 것들. 쉬지도 않고. 성훈아. 대체 방법이 뭐냐?"

"별거 없어. 너희보다 시작이 늦었으니까, 그만큼 더 열심히 한 것뿐이야."

하지만 상세한 설명 따위를 해 줄 시간적 여유가 없었다.

작업이 빨리 진행되는 만큼, 나도 지시할 것이 많았으니까.

"거기 진수야. 거기 들어가는 창방 아니야. 스티커에 층이랑 위치 붙어 있잖아! 도면 잘 확인하고 헷갈리지 말라고."

빠르게 작업하기 위해서 필수적으로 각 파트별로 분업을 할 수밖에 없었다.

고육지책으로 마련한 것이 각 부재에 넘버링을 하는 것이었다.

왔다 갔다 하면서 지시를 하고 있는데, 보람이 내 뒤를 따라붙었다.

"그런데 이거 스케일이 어떻게 되는 거야? 왜 이렇게 커?"

법주사 팔상전의 실제 높이는 22.7미터다.

아직 3층도 채 마무리 짓지 못했지만, 이미 허리 높이를 넘었다.

"십 분의 일. 아직 반도 못 올린 거야. 저거 보이지?"

보람에게 우리 팀 작업대 위를 가리켰다.

"저게 다 뭐냐?"

내 손가락이 가리킨 곳에는 부재들이 산더미처럼 쌓여있었다.

"저게 다 소진돼야 완성되는 거야."

"총 높이가 어떻게 되는데?"

"2.2미터가 약간 넘어."

"무슨 건물이길래……. 그렇게 높은 거냐?"

보람 팀이 만드는, 남대문의 이십 분의 일 축소판에 비하면, 실제 규모 면에서도, 모형의 크기에서도 압도적이었다.

'훗. 실제 높이만 따져도 남대문보다 훨씬 높다고.'

남대문의 높이는 고작해야 12.5미터. 그야말로 팔상전의 반 토막이라 하겠다.

"법주사 팔상전."

귀찮음이 가득한 나의 단답형 대답이었다.

보람의 시선이 우리 모형의 디테일에 멎었다.

"히야! 크게 만드니까, 이런 조각도 가능하구나."

"응. 보기만 해라. 건드리지는 말고."

다시 내 입이 바쁘게 돌아갔다.

"진수! 공포 위치 제대로 잡고, 아직 기와 올리지 마. 누가 올리래? 서까래 각도가 똑같은지 확인도 못 했는데. 그건 뒤로 빼놔. 맨 나중에 해도 돼!"

감독을 도와주던 경호가 수업을 들어가는 바람에 내가 두 배로 바빠졌다.

"네 분신은 어디 가고. 성훈이 네가 다 하냐?"

민수를 물어보는 것이리라.

"그 녀석은 조각하느라고 정신없어."

"어디 있는데?"

"저기!"

구석에서 야구 모자를 푹 눌러쓴 민수가 조각칼 쥔 손을 쉴 새 없이 놀리고 있었다.

다른 팀들이 사용하는 작업대를 피하다 보니, 가장 구석자리로 갈 수밖에 없었다.

"민수야, 아직 공포(栱包)들 덜 만들었어?"

민수의 쉰 듯한 고함 소리가 들렸다.

"이제 거의 끝나가요!"

"일단 넘버링 된 순서대로 보내. 지금 공포만 자재가 모자라게 생겼다."

"네. 알았어요."

지시를 받은 팀원이 제작된 공포를 다시 산더미처럼 쌓아두고 사라졌다.

팀장들의 입이 떡 벌어졌다.

"아직도 남은 거냐? 그런데 너희는 무슨 공포를 그렇게 많이 쓰냐?"

우리가 만드는 팔상전은 다른 목조건물과 다른 특징이 있다.

1층은 기둥 위에만 공포를 얹은 주심포 양식을 띠고 있고, 2층에서 4층까지는 공포가 기둥 위에 놓여는 있지만, 다포 양식을 하고 있다.

그리고 마지막 5층은 기둥 사이에 공포를 놓은 완전한 다포 양식을 하고 있다.

층마다 공포 양식이 제각기 다르다는 말이다.

정유재란 때, 불타버린 것을 선조가 짓기 시작했는데, 광해군을 거쳐 인조 때에 완성이 되었다.

그 과정에서 변경이 있었는지, 아니면 처음부터 의도된 것인지는 알 수 없다.

하지만 일일이 설명하기도 귀찮았다.

"안 바쁘냐? 너희는?"

보람이 뻔뻔스런 얼굴로 답했다.

"응. 아직 팀원들 덜 왔어."

보람이 주변을 두리번거리더니, 물었다.

"너네 부팀장은 어디 갔냐?"

"왜? 걔도 귀찮게 하려고? 아서라."

허나 호랑이도 제 말하면 온다든가?

승범의 작업이 끝났는지, 정민과 함께 모습을 드러냈다.

"이제 끝났나 보네. 저기 온다."

승범의 손에는 한복을 입은 인형 하나가 들려 있었다. 그것도 화려한 색동저고리로 말이다.

대번 사람들의 시선이 그곳으로 쏠렸다.

보람이 나서며 물었다.

"승범아, 그거 뭐냐?"

초췌한 차림의 승범이 말했다.

"상대할 시간 없으니까, 꺼져. 문둥이들아."

연이은 밤샘으로 인해 다른 사람을 상대할 힘도 없는 모양이었다.

"다 됐냐?"

"응. 일단 카메라까지 조립은 됐는데, 아직은 불완전해."

하지만 전혀 성과가 없었다면, 들고 오지도 않았으리라.

다만 궁금한 것은 내가 생각했던 것을 그대로 시연할 수 있는지 여부였다.

'나도 생각만 했지. 이 시기에 실제로 가능할 거라고는 생각지 않았다고.'

어떨까?

기대한 만큼의 결과가 나올까?

가슴이 두근거렸다.

"그럼 지금 해볼 수 있는 거지?"

"응! 기다려 봐."

승범이 로봇을 작업대 위에 올리고, 배낭에서 뭔가를 꺼냈다.

뭉툭한 박스에 오락실에서 흔히 보는 스틱 두 개.

승범이 그걸 내게 건네주었다.

"컨트롤러야. 급하게 만드느라 예쁘게는 못했어."

"괜찮아. 신경 안 써."

디자인이 뭐가 중요하랴.

막상 사람들의 눈은 컨트롤러에 있지 않을 텐데.

아직 작업에 몰두 중인 팀원들에게 말했다.

"얘들아, 잠깐 작업 멈춰 봐."

손을 멈춘 팀원들의 시선도 인형에 꽂혔다.

"성훈 선배! 드디어 온 거예요?"

"응. 승범이랑 정민이가 고생했다."

승범이 코웃음 쳤다.

"고생은……. 너 두 번 다시는 우리 과에 오지 말라더라. 학과장님이."

그 말에 정민도 피식 웃었다.

"우리 교수님은 성훈 선배 이름만 꺼내도 치를 떠시던데요."

목을 돌렸다.

우두둑.

기계공학과와 전자공학과를 괴롭힌 끝에 얻어낸 내 작품이었다.

'드디어 원하는 그림을 그릴 수 있게 되었다고.'

내가 자세를 잡자, 승범이 말했다.

"정민아, 노드북 열어라."

보람이 물었다.

"성훈아! 그거 뭔데?"

"닥치고 보든지, 아님 꺼져."

역사적인 순간에 저게 초를 치고 있어.

"시작한다."

로봇이 소음을 내며, 움직이기 시작했다.

위잉. 위잉.

인형이 첫발을 뗐다.

왼발.

그다음은 오른발.

천천히 움직이며, 팔상전의 주위를 산책하듯 걸었다.

'아직 살짝 흔들리기는 하지만, 잘 만들었네. 고생이 많았겠어.'

승범을 보며 미소를 보냈다.

흘끔 나를 쳐다본 녀석이 콧방귀를 뀌며, 다시 로봇에게로 시선을 돌렸다.

'삐치기는. 짜식!'

다시 로봇을 움직였다.

이번에는 고개도 좌우 위아래로 움직이며, 건물로 다가가 기둥을 바라본다.

"정민아, 잘 나오고 있어?"

"네. 잘 나오고 있어요. 좀 더 건물에 가까이 가 주실래요? 네. 됐어요. 고개를 위로 젖히세요. 네. 됐습니다."

노트북을 보니, 모니터에 첨차가 보였다.

일 층 기둥 위에 꽃처럼 올록볼록 돋아난 첨차.

"음. 그래. 이거야."

실제적인 사람의 눈높이로 건물을 바라보는 것.

내가 만들었던 투시도에서 가장 많이 사용한 눈높이다. 또한 일반적인 관광객들이 보게 되는 눈높이.

하지만 누군가가 지적해 주지 않으면 보지 않게 되는 눈높이.

우리는 명소를 가지만, 그 모든 것을 다 보지는 못하고 오게 된다.

외국 관광객들이 놓치기 쉬운 것들을 미리 보여 주고 싶었다.

'이 건물은 여기가 제일 아름다워. 잘 보고 즐기고 가라고!'

지루하게 설명할 필요가 있을까?

영상에서 본 것을 직접 보면 된다.

팔상전 모형에서 흥미를 느낀 자들은 호기심이 생길 것이고, 그 호기심은 법주사로 발걸음을 옮기게 만들 것이다.

'그리고 자신이 본 것과 비교하면서 보게 되겠지. 이미 어느 부분을 봐야 하는지는 눈이 알고 있거든.'

지금은 사람의 눈높이에서 보게 되지만, 박람회 천장에다가도 조명과 카메라를 달면 어떻게 될까?

하나의 모형이지만, 투시도와 조감도, 거기에 디테일까지 모두 볼 수 있을 거야.

'흐흐. 좋은 생각인데.'

가만히 보고 있던 보람의 눈이 휘둥그레졌다.

"성훈아, 이게 대체 뭐냐?"

다른 팀장들의 생각도 마찬가지였다.

"새로운 걸 만든다는 게, 저런 거였어?"

"그런가 봐! 우리는 저런 거 상상도 못 했는데. 전통을 가지고 새로움을 만든다는 건 사실 무리라고 생각했는데."

"역시 다르네. 새로운 시선이라는 건 저런 걸 말하는 거지."

"그러게. 저 인간, 천재 아니냐? 보람이네 팀에서 지붕 여는 거 하고는 차원이 다르잖아."

보람도 그 말에 고개를 끄덕였다.

'비슷하면 베꼈다 라고 할 수 있겠지만, 이건 뭐. 말마따나 차원이 다르니까.'

성훈보다 뒤처졌다는 기분이 들었지만, 지금은 눈앞의 로봇에서 눈을 뗄 수가 없었다.

남자들의 호기심을 자극하는 것.

그것은 움직이는 모든 것.

자동차. 시계. 스포츠.

그중에서도 가장 좋아하는 것을 말하라면, 압도적으로 자동차가 될 것이다.

왜?

'내 맘대로 움직일 수 있는 거잖아.'

다른 팀장들도 마찬가지였다.

시선, 새로움, 그런 것보다는 로봇.

멀찍이서 지켜보던 그들이 서로 앞다퉈 성훈에게 달려갔다.

보람이 소리쳤다.

"성훈아, 나 한 번만 만져 보면 안 되냐?"

로봇 조종에 방해를 받은 성훈이 인상을 썼다.

"안 돼. 아직 시제품이라 불안하단 말이야."

달려온 이들의 면면을 보던 성훈이 말했다.

"팀장이라는 것들이 모범을 좀 보여. 보람이, 너희 모형 끝났어?"

그러나 아까처럼 뻔뻔스런 대응을 할 수는 없었다.

"거의 끝나가, 성훈아."

"왜? 귀찮게 하지 말고 저리 가!"

"형님. 제가 소싯적에 게임기 좀 만졌사옵니다. 슈퍼마리

오라고 아실랑가 모르겠네요."

지극히 공손한 태도였지만, 성훈은 인상을 일그러뜨렸다.

"슈퍼마리오 같은 소리 하고 있네. 이건 그런 이차원적인
거 하고는 차원이 다르거든."

아무리 아부해도 씨알도 먹힐 것 같지 않자, 보람이 입을
다시며 승범에게로 시선을 돌렸다.

"쩝. 승범이 넌, 어디서 저런 생각이 나왔냐? 승범이 네
생각이냐? 재주도 좋다."

"내가 직접 만들긴 했지만, 아이디어는 저놈 머리에서 나
온 거야. 괴물 같은 놈."

욕을 하든지 말든지, 성훈은 조용히 컨트롤에만 집중하고
있었다.

"정민아, 아직 초점 맞추는 게 자연스럽지 않아. 한 번 더
맞춰보자."

시간이 더 흐르고, 기술이 발전된다면 일일이 수동 조정이
필요 없겠지만, 지금은 기계의 인공지능보다는 사람의 협동
이 필요할 때였다.

투덜대는 팀장들에게 불호령이 떨어졌다.

"얼른 자리로 가서 안 만들어? 나중에 완성되면 만져보게
해줄 테니, 썩 자리로 돌아가!"

언제 왔는지, 민수도 그 모습을 보고 있었다.

민수가 승범의 어깨를 두드리며 말했다.

"선배, 고생 많으셨어요."

"흥. 뭐 이런 걸 가지고."

하지만 승범의 얼굴에는, 성훈에게 보이지 않았던 고마움과 뿌듯함이 묻어나왔다.

"어제 성훈이 형이 기계과 갔다 왔다고 하던데요. 고생 많으셨어요."

"뭐. 나만 고생했겠냐?"

민수가 로봇 조종에 열중하는 성훈 쪽으로 눈길을 돌리며 물었다.

"저거 완전 성훈이 형 같지 않으세요?"

"응? 뭐가?"

"이리저리 둘러보며, 잘하고 있는지 감시하는 거잖아요. 심술궂게 생긴 게, 형이랑 똑같은데요."

승범이 씨익 웃었다.

"눈썰미가 좋은데, 눈썹이랑 눈이랑 완전 똑같지. 내가 그렸다. 저거. 놀부 얼굴 그리니까, 저 자식 얼굴이 나오더라."

"흐흐. 하지만 성훈이 형은 그렇게 생각 안 할 걸요? 자기가 제일 잘생긴 줄 알고 있는데."

"어제 별일 없었어요? 성훈이 형은 별일 없었다고 하던데. 그럴 인간이 아니거든요."

승범의 미간에 주름이 쫙악 생겨났다.

"별일 없었다고 그래? 저놈이?"

그의 표정이 모든 것을 말해 주고 있었다.

'무슨 일이 있었구만.'

바짝 약 오른 표정으로 승범이 말을 이었다.

"어세 우리 교수님 고혈압으로 쓰러질 뻔했이. 지 망할 자식이 와서."

"저 형. 원래 그래요. 마음에 두지 마세요. 지금쯤 기억도 못 하고 있을 테니까. 그래도 로봇은 확실히 형 마음에 든 것 같네요."

승범이 성훈의 모습을 비릿하게 웃었다.

"저게 마음에 안 들면 인간도 아니지. 저놈 까탈스런 요구를 다 맞추느라 얼마나 고생한 줄 알아. 저거 완전 진상이야. 진상!"

기계과에 가서 앙탈을 부렸을 모습이 떠올랐음인가?

민수의 얼굴에 미소가 떠올랐다.

언젠가 성훈이 말했었다.

'해도 안 될 것 같은 놈한테는 말 안 해. 내가 미쳤어. 내 입 아프게? 될 것 같은데, 안 하니까 말하는 거지.'

성훈에게 귀찮은 일을 당하는 사람들은 그런 부류였다.

아예 안 될 것 같으면 상대를 하지 않는다.

'그 점은 참 냉정하단 말이야. 그러면서도 한번 안고 갔으면, 끝까지 데려가려고 하고.'

지금의 팀도 미련 없이 자를 수 있었지만, 성훈의 고집으로 지금까지 온 거였다.

이대로만 가면, 떨거지 팀이 아니라, 최고의 드림팀이 될 거였다.

다른 팀들과는 열정만 봐도, 비교할 가치가 없을 정도였으니.

인상을 찌푸린 승범의 어깨를 두드렸다.

"하지만 노력의 대가는 확실히 얻으실 거예요. 선배도, 교수님도. 요구는 많아도, 보상 하나는 확실하거든요."

"흥. 사람을 그렇게 염장을 질러놓고. 내가 교수님 보기가 다 민망하더라고."

쓰린 기억 되살려서 뭐하겠나.

민수는 조용히 승범의 어깨를 두드리며 말했다.

"다 잘될 거예요. 기분 푸세요. 저렇게 좋아하고 있잖아요."

"이제 맘에 드냐?"

승범의 말이었다.

"음. 처음보다 좋아지기는 했는데……."

"그냥 속 시원히 얘기해. 어제처럼 우리 과에 와서 말하지 말고."

"이거 봐. 오리 같지 않냐?"

한 걸음씩 옮길 때마다 좌우로 약간씩 균형이 흔들리는 것을 지적하고 있었다.

그 말에 승범이 투덜거렸다.

"네가 한 발씩 움직여 달라고 했잖아."

"응. 그랬지."

"그럼 당연히 흔들리지. 시간이 더 있었다면 충분히 잡을 수 있었어. 신경 쓰지 말고 넘어가."

"그러냐? 내 조언은 필요 없어?"

"조언? 됐거든. 그런 전문적인 부분은 우리가 알아서 할게. 네가 관여할 부분이 아니야!"

고생해서 만들었는데, 칭찬을 해주면 오죽 좋을까?

칭찬은커녕 불만 섞인 말을 했으니 욕을 먹어도 할 말이 없으리라.

"그래도 그 짧은 시간에 잘했네. 수고했어."

"수고?"

승범이 핏발 선 눈으로 말을 이었다.

"우리 교수님이 넌 앞으로 우리 과 건물에 발도 들이지 말라시더라. 이 악덕……. 진상아."

"내가 뭐 그렇게……."

"네가 뭘 했냐고? 내 입으로 듣고 싶냐?"

별다른 짓을 하지도 않았다.

그저 승범이 학과 교수님들과 박람회 관련 작업을 한다기에 격려차 음료수를 사 들고 슬쩍 들렀었다. 감시는 절대 아니다.

'내가 아이디어를 낸 건데, 내 의도대로 나와야 할 거 아니야. 안 그래? 기껏 만들었는데, 내 기대에 못 미친다면, 그건 시간 낭비라고.'

그리고 만들어진 작품을 보고 약간의 조언을 했을 뿐이다.

자신들의 작품이 마음에 들었던지, 교수는 미소를 지으며 내게 물었었다.

'어떤가? 이 정도면 되겠나?'

아무리 시간이 없었고, 급하다는 건 인정하지만, 너무 심하잖아.

그도 그럴 만했던 것이…….

가느다란 철봉 아래에 바퀴를 달아서 움직이게 하는 방식이었다.

철봉에 똥꼬를 꿰인 인형이 허공에서 팔다리를 허우적거리고 있었다.

'최악인 건 유선이었다고.'

애들 가지고 노는 자동차도 무선이 판을 치는 마당에…….

'팔상전만 해도, 그 안에 들어가 한 바퀴를 빙 돌고 나와야 하는데…….'

왔던 방향을 역으로 돌아서 나올 수는 없는 것 아닌가?

아까 충분히 설명했던 것을 또다시 돌아 나오면서 설명하는 가이드도 있는가?

'쓸모없는 시간이 더 늘어난다고.'

딱 보여 줄 것만 보여 주고, 또 다른 것을 보여 주기도 시간이 빡빡할 텐데, 그런 데서 시간 낭비를 하다니.

그래서 교수님께 정중하게 물었다.

'교수님, 혹시 우리 팀이 건물 만드는 거 보셨어요?'

'응. 우리 승범이하고 잠시 들렀다가 왔다네. 디테일이 살아 있던데. 실력들이 좋아.'

'감사합니다. 보셨다시피, 우리 팀 모형의 관건은 디테일을 얼마나 살리느냐 하는 것이죠. 굉장히 신경을 많이 쓰고 있습니다.'

교수님은 내 얼굴을 자세히 보고 말해야 했다.

로봇이 마음에 안 들어서 인상을 살짝 찌그리고 있었거든.

눈치가 없던지, 아니면 아주 로봇이 마음에 들었던지, 둘 중 하나였지만.

'당연한 말 아닌가. 우리 민족의 얼을 보여 주는 것인데. 디테일이 살아 있어야지. 암!'

내 말이 그 말이거든.

그럼 당연히 작품 전체를 안내하게 될 로봇도 디테일이 살아 있어야 하는 것 아냐?

내가 그리는 그림은 우리 팔상전만 보여 주는 것이 아니었다. 각 팀의 작품들의 질을 높이고, 그것을 보여 주는 거였다.

모든 작품 사이를 종횡무진, 활보할 가이드 로봇이 저렇게 허접해서야…….

로봇에게 다가가 이리저리 살피며 물었다.

'이 로봇, 어디에 디테일이 있나요?'

그렇게 약간 실망 섞인 아쉬움을 내뱉었을 뿐.

교수의 얼굴이 벌겋게 달아오르는 것은 보고도 모른 체 해 주었다.

부끄러울 것 아닌가?

생판 문외한인 내게 그런 말을 들었으니 말이다.

내가 건축 문외한인 자에게 그런 말을 들었다면 그랬을 것이다.

승범의 투덜거림에 나도 입이 툭 튀어나왔다.

'유치원 학예회에 낼 거냐고 하려다가 참은 거라고.'

우리의 티격거림은 대목장의 등장으로 끝을 맺었다.

"성훈이가 뭐 만들었다면서."

대목장은 나를 보며 말했다.

"박 목수가 얼른 와 보라고 해서 왔는데……."

다가와 모니터를 본 대목장이 눈이 휘둥그레졌다.

"성훈아, 이게 뭐냐?"

75장
속도전(2)

"오호라. 그러니까 외국인들에게 우리 건물을 보려면 이 렇게 봐라. 하고 미리 보여 주는 것이구만. 내 말이 맞지?"

"네, 맞습니다. 어르신."

대답을 하고 있는데, 뒤에서 또 하나의 익숙한 목소리가 들렸다.

"이게 기계공학과와 전자공학과 학과장들이 뒤통수를 잡 았다던, 바로 그 물건이구만."

총장이 뒤에서 우리 탁자를 보며 말했다.

'잔소리 좀 했더니, 그새 가서 일러바쳤나 보군.'

총장은 나보다는 내 손에 들린 물건에 더 관심이 많아 보 였다.

"성훈 군, 나도 한 번 보여 주게. 어떤 물건이기에 그 양반들이 진절머리를 쳤는지 말이야. 허허허."

"아직 시연 단계라서, 그렇게 볼만할 건 못될 겁니다. 큰 기대는 하지 마십시오."

옆에서 듣고 있던 민수가 의견을 냈다.

"성훈 형, 지금 삼 층까지는 기와 부착하는 작업이 끝났으니까, 올려서 다시 보는 게 어떨까요?"

"탈착 부재까지 작업 끝났어?

민수가 고개를 끄덕였다.

"네. 언제든지 탈부착할 수 있도록 정리해 뒀어요."

어떤 변수가 생길지 모르는 상황이었다.

탈부착 옵션은 어쩔 수 없는 변경이 필요할 때를 위한 사전 작업이었다.

대목장도 얼른 보고 싶은 모양인지, 팔목을 걷어붙이고 나섰다.

"그러거라. 지금 완성된 것들은 모두 올려 보도록 해라. 박 목수. 자네도 얼른 이리 오게."

장인들의 손길도 한몫 거드는 바람에 순식간에 지붕이 올려졌다.

총장이 옆에서 지켜보며, 감탄을 자아냈다.

"팔상전인가? 아까 봤을 때와는 천지 차이인걸."

"아까는 뼈대만 있었으니까, 당연했을 겁니다."

다시 한 번 조이스틱을 잡았다.

"정민아, 준비해라."

"오. 그렇게 움직이는 거로구만. 기발한 아이디어일세."

총장과 대목장은 로봇과 모니터를 번갈아 보며 감탄을 하고 있었다.

아는 만큼 보인다더니, 대목장이 더 말이 많았다.

"어허이. 거기서 좀 더 들어가야지. 그렇지. 그렇지. 그쯤에서 봐야 나뭇결도 살고, 주두의 전체적인 모습을 한눈에 볼 수 있지."

옆에서 총장도 추임새를 넣었다.

"역시 대목장이십니다. 거기서 보니, 확연히 잘 보이는군요."

"거 참. 당연한 말씀을. 제가 톱밥을 몇십 년을 먹었는데. 그런 말씀을 하십니까. 허허허."

하지만 그들의 대화는 오래가지 않았다.

로봇이 팔상전 실내로 들어갔을 때부터는 대목장의 지시가 계속 이어졌다.

"아니야. 아니야. 고개를 더 들어. 그렇지. 그렇지. 고개를 좀 더. 어허. 그렇게 하면 대들보가 가로지르는 모습이 안 보이잖나. 에잉. 내가……."

대목장이 흥분하며 앞으로 나서자, 민수가 그의 소매를 슬며시 잡고, 작은 소리로 말했다.

"할아버지, 저거 아직 시제품이고 성훈이 형이 만들어달라는 대로 만든 거라서, 성훈이 형 아니면 아무도 못 만져요. 잘못해서 망가지기라도 하면……."

민수의 시선이 승범에게로 향했다.

대목장과 눈이 마주친 승범이 고개를 좌우로 흔들었다.

'어르신, 저 이건 만드느라 죽는 줄 알았어요. 부서지면 죽어버릴 거예요.'

양팔을 교차시키며, 강력한 거부를 표했다.

"커흠."

어색하게 헛기침을 하며 말을 이었다.

"그렇지. 고개는 좌우로 돌리더라도, 몸은 가운데 있는 팔상도를 중심으로 돌아. 그렇지."

최 옹은 그 말과 함께 양손을 모아 합장을 했다.

"여기서 이렇게 한 바퀴 도는 것으로 한 번의 탑돌이를 완성하는 거란다."

"탑돌이라뇨?"

민수의 물음에 대목장이 답했다.

"탑돌이를 안 해 봤느냐?"

탑돌이란, 절에서 재(齋)를 지내거나 의식이 있을 때, 승려와 신도들이 불탑의 주변을 돌면서 소원을 비는 것을 말한다.

특히나 불교가 중흥했던 시대에는 젊은 청춘 남녀들의 사랑이 이어지길 원하거나, 혹은 전쟁에 나간 남편의 안부를 비는 등, 간절한 염원을 담은 탑돌이가 많이 행해졌다.

밝은 보름날 밤, 선남선녀들이 탑을 돌며 흥을 돋우기 위하여 춤을 추며, 소원을 빌었다고 전해지지만, 지금은 거의 행해지지 않는다.

세대가 다르니, 그걸 알 리가 있으랴?

민수가 어깨를 으쓱하며 말했다.

"네. 별로 해본 기억이 없네요."

"다른 절에는 팔상도가 어떻게 걸려 있는지 아느냐? 보통은 불상을 중심으로 좌우로 4폭씩이 걸려 있지. 한눈에 다 볼 수 있는 거란 말이다."

"생각해 보니, 그러네요."

민수의 끄덕임에 최 옹이 말을 이었다.

"허나 법주사 팔상도는 기둥을 중심으로 사면에 두 폭씩이 걸려 있어서 한눈에 다 보려면, 탑을 한 바퀴 돌아야 한다. 그럼 어떻게 되겠느냐?"

"탑을 한 바퀴 돌게 되는군요."

"그렇지. 그렇게 자연스럽게 탑돌이를 하게 되는 것이니라."

총장이 그 말을 들으며 감탄사를 토했다.

"허허허. 그런 의미가 있었소. 나는 여태껏 모르고 살았는데, 그 의미를 이제야 알게 되었구려. 허허허."

팔상전의 내부까지 온전히 둘러보고 나서야, 최 옹은 의자에 털썩 걸터앉았다.

"대단해. 정말 대단해. 우리 기술이 이렇게까지 발전할 줄이야. 이런 건 꿈에도 생각을 못 했는데."

감탄을 금치 못하는 대목장의 말이었다.

"놀라운 게 어디 기술만이겠소."

총장 또한 싱훈을 보며 기꺼운 듯 말했다.

"그러게 말이구려. 성훈이 녀석이니, 할 수 있는 생각이겠지요. 총장께서 오시기 전에 그런 얘기를 합디다. 외국인들에게 우리 전통을 보는 방법을 가르쳐 주겠다고 말입니다."

"허허. 그런 얘기가 오갔습니까? 듣고 보니 더 기특합니다."

"기술은 발전하는데, 우리 늙은이들의 생각은 그것을 따라잡지 못하니. 그것이 안타까울 따름입니다. 내가 먼저 생각하고 가르쳐야 하는 것이거늘."

"당연한 게지요. 젊은 친구들이니 생각할 수 있는 것 아니겠습니까?"

"제가 답답해서 하는 말입니다."

총장이 의아한 눈으로 물었다.

"그게 무슨 말씀이십니까?"

"이래서야 학과를 만들어도, 가르칠 게 있기나 하겠습니까? 우리가 도리어 배우게 생겼으니……."

"저렇게 총명한 아이들이니, 우리가 가르치는 보람이 있는 것 아닙니까?"

요즘 세대의 젊은이들의 기지를 칭찬하고 있었지만, 그들의 눈은 줄곧 성훈만을 바라보고 있었다.

총장이 대목장을 힐끔 보며 속삭였다.

'대목장. 우리는 저놈 하나만 제대로 잡으면 되오.'

'그게 무슨 말이오?'

총장의 시선을 따라 눈을 돌렸다.

'성훈이 녀석만 잡으면 나머지 놈들은 줄줄이 땅콩으로 딸려온다는 거지요. 저거 안 보이시오. 아이들의 눈이 누구를 보고 있는지. 우리는 우리가 할 수 있는 것만 최선을 다해 일러주면 됩니다.'

'그렇지요, 총장. 고맙소.'

최 옹이 조용히 고개를 끄덕였다.

그들의 시선이 닿아 있는 곳.

학생들이 한 덩어리로 뭉쳐 중심을 바라보고 있었다.

성훈이 노트북을 보며 뭔가를 지시하고 있을 것이다. 보지 않아도 알 수 있는 것이 있다.

하지만 주변의 이들 또한 열정의 눈빛을 불태우고 있었다.

반드시 성훈을 따라잡고야 말리라는…….

총장과 대목장이 서로 손을 맞잡았다.

'우리도 저 녀석에게 지지 맙시다.'

"정민아. 승범아. 이 부분 보이지. 이 턱을 넘어가다가 비틀거렸다고. 화면이 다 흔들리잖아. 그리고 고개를 젖힐 때, 여기. 이 부분에서 잠깐 멈췄다가 지나간다고."

"이 정도는 괜찮지 않냐?"

승범의 반박이 있었지만, 성훈은 가볍게 무시했다.

"외국인들에게 불량품을 내보일 셈이야? 한국의 수준이 이거밖에 안 된다고? 우리 학교가 이렇다고?"

성훈의 으르렁거림에 승범이 고개를 모로 돌리며 인상을 찌푸렸다.

'마귀할멈 같은 놈, 그건 또 언제 봤대?'

그와 눈을 마주치는 정민도 곧 닥칠 비판을 생각하자, 절로 미간이 모아졌다.

아니나 다를까?

"조리개 반응이 왜 이리 느려? 센서로 자동 조정 안 돼?"

"선배님. 센서라뇨. 그런 건 아직……."

"그렇게 못 할 것 같으면, 정신 바짝 차려. 알았어! 지금은 네가 내 눈이라고!"

"네. 선배님."

"그리고 내가 갔던 동선들, 몽땅 메모리시키고, 가장 짧은 동선을 찾아."

"네!"

정민을 구해 준 것은 대목장의 음성이었다.

"성훈아, 네가 한 것들, 다른 곳에도 적용할 수 있겠느냐?"

"어디다가요?"

"저기 남대문이 보이는구나."

최 옹의 손가락이 보람 팀의 탁자를 가리키고 있었다.

"가능은 하지만, 이것만큼 퀄리티는 안 나올 거예요."

"그래도 일단 확인하고 넘어가야겠구나."

보람 팀의 남대문도 반 정도가 완성되어 있었다.

그래도 대문 입구가 커서 겨우 지나갈 수는 있었다.

잠시 후.

대목장이 한숨을 내쉬며 혀를 찼다.

"쯧쯧. 안 되겠구먼."

주변을 둘러보더니, 한 사람의 이름을 불렀다.

"박 목수. 이리 와 보게."

"네. 어르신."

실망 가득한 눈으로 말했다.

"이렇게 조잡해서야 어디, 내 제자들이 만들었다고 자랑할 수 있겠는가?"

'그저 조언만 했을 뿐입니다'라고 말하고 싶었지만, 지금은 말해 봐야 핀잔만 늘릴 뿐이었다.

"……"

그저 조용히 고개만 조아리고 있었다.

"목수들은 다들 이리 오게!"

여남은 명의 목수들이 대목장 앞에 일렬로 늘어섰다.

"길게 말하지 않겠네! 다른 건물들도 보아하니, 크게 벗어나지 못하는구먼."

결과라 말하는 데 무슨 변명이 필요하랴.

"다른 팀들 것도 모두 십 분지 일로다가 수정이 가능하겠나?"

박 목수가 대표로 나섰다.

"어르신. 가능은 합니다만, 시간이……."

최 옹의 미간이 모아졌다.

"그런가……. 어렵다는 건가? 이 상태로는……."

고개를 젓는 그를 보며, 옆에 서 있는 민수를 쿡 찔렀다.

내 의도 따위는 금방 알아챘으리라.

민수가 물었다.

"형. 우리 이거 만드는 데 시간이 얼마나 걸렸죠?"

다들 들으라는 듯, 큰 목소리였다.

나도 큰 목소리로 응답했다.

"음……. 사흘인가?"

"와! 정신없이 지내다 보니, 시간 가는 줄 몰랐네요. 정말 시간이 금방 가요."

민수가 과장되게 웃으며 너스레를 떨었다.

"그러면 뭐하냐? 아직 반밖에 안 됐는데."

"무슨 말이에요? 형. 이제 뼈대 올라가고 지붕만 올리면 끝인 걸요. 내일 정도면 끝나지 않겠어요? 실제로 작업한 건 이틀밖에 안 되잖아요."

내가 이마를 탁 치며 말했다.

"아하. 내가 실측하는 시간을 빼먹었네. 그것도 하루 종일 걸렸는데. 이런 돌대가리."

이 말에 박 목수는 심장이 멎는 듯했다.

'이것들이! 지금까지 잠도 안 자고 도와줬더니!'

성훈을 향해 눈을 부라렸다.

"박 목수!"

"네. 어르신."

그는 퍼뜩 정신을 차리고 최 옹의 시선을 받았다.

"저 말이 진정 정말인가?"

그는 영문을 모르겠다면서 딴청을 피웠다.

"어르신. 무슨 말씀인지?"

"저리 만드는 데, 사흘밖에 안 걸렸다는 게 말이야? 참. 그렇지. 자네가 실측할 때 따라갔었다고 했지. 나이를 먹으니 자꾸 깜빡하는구먼."

박 목수의 붉은 눈이 초승달처럼 휘었다.

'지금도 눈알이 빠질 것 같은데, 다른 녀석들 실측까지 따라갔다가는, 제 명에 살지 못할 거야.'

그는 비굴하게 웃으며 말했다.

"저도 마음은 굴뚝같습니다만……."

"그래서! 못 하겠다는 말인가?"

"그것이 아니오라……."

"스승의 유지를 이어받아, 전통건축을 위해 제 한 몸 불사르겠다던, 자네의 각오는 모두 거짓부렁이었는가?"

그의 아부는 씨알도 먹히지 않았디.

최 옹의 굳건한 눈동자가 심정을 대변하고 있었다.

"어르신. 어찌 그런 말씀을. 어르신을 따라가고자 하는 마음에는 일체 변함이 없습니다요!"

"그런데?"

"저도 사람 아니겠습니까? 이 녀석들 따라서 사흘 밤을 꼴딱……."

박 목수는 최대한 불쌍한 표정을 지었지만, 그 말을 곧이들을 최 옹이던가?

그의 말이 귓바퀴에 도달하기도 전에 최 옹의 반격이 돌아왔다.

"내가 자네 나이 때는 말일세. 일주일을 꼬빡 밤을 새우고도 끄떡 없었……."

'아이고! 저 말이 나오면, 우리 스승님 얘기까지 줄줄줄 레퍼토리지.'

박 목수가 얼른 최 옹의 손을 잡았다.

"하겠습니다. 어르신. 제발 그 뒤 말씀은……."

박 목수의 사정에 못마땅한 표정으로 그를 흘기며 말을 맺었다.

"아직도 살날이 구만리 같은 젊은 친구가 어찌 그리 매가리가 없는가? 오호 통재로다."

박 목수가 고개를 숙이며 입술을 삐쭉 내밀었다.

'휴. 잠은 또 못 자는 건가?'

학생들의 반응도 가지각색이었다.

"어떻게 그저께 만든 팀이 모형을 저렇게까지 만들 수 있는 거냐?"

"너 아무것도 모르는구나. 쟤네들 지금 사흘 동안 밤샌 거야."

"그러게. 난 하루 밤 새고 뻗을 줄 알았는데, 체력들도 좋아."

눈이 뻘건 성훈의 팀원들이 들었다면, '악으로 버티는 거지. 체력은 무슨 체력!' 하며 버럭 화를 냈을 테지만, 총장들의 대화를 듣고 흐뭇해하고 있었다.

"내 말은 그게 아니라, 다른 사람들의 도움을 받았다는 거라고. 저기 장인들과 승범 선배 같은 경우는 기계과에 동원 가능한 사람을 다 끌어들였다던데, 치사하지 않냐?"

자리로 돌아가던 보람이 말했다.

"이번에는 그냥 넘어가자."

"보람 선배, 왜요? 왜 그래야 하는데요?"

남이 잘되는 만큼, 상대적으로 자신은 뒤로 밀릴 수밖에 없다.

경쟁에서 소외되지 않기 위한 자기방어.

그것을 넘어서는 공격적 태도.

최선의 방어는 공격이라고 했던가?

이런 마음이 타인의 성공에 진심으로 박수를 보낼 수 없는 근본적인 이유다.

속 좁은 비교 심리.

'그 마음은 알지만, 그렇게 말하는 건 아니지. 쟤네들이 죄지은 것도 아니고. 만회할 기회는 있어야지.'

보람이라고 성훈이 칭찬을 받는데 마냥 기분이 좋겠냐마는, 마음 한구석이 개운하지 않았다.

"쟤네들은 이번에 결과가 없으면 제 발로 나가야 한다고."

"그래서요? 그게 원래 그런 규칙이었잖아요."

"우리 손으로 밀어냈어. 넌 양심도 없냐?"

보람이 투덜대는 팀원의 등을 떠밀었다.

"저 팀 볼 시간 있으면 우리 거나 빨리 만들자. 이러다가는 역전되게 생겼다고."

"아무리 그래도 룰이란 게 있는데, 저건 좀 보기가 껄끄럽네요. 우리 교수님께 말씀드려야겠어요."

보람이 한숨을 내쉬며 말했다.

"휴. 그러시든가. 우리 자리로 가자."

박 목수를 비롯한 장인들이 최 옹에게 훈계를 받는 동안, 나는 자료들을 정리했다.

"그리고 민수하고 제작팀들 이리 와 봐."

내 주변으로 사람들이 모였다.

"이 모니터를 좀 봐 줄래?"

어떻게 만드느냐도 중요하지만, 어떻게 보이는지를 아는 것은 더 중요하다.

만드는 건 과정이지만, 보이는 건 결과와 직결이 되니까 말이다.

"잘 만들었는데, 아직도 이렇게 보면, 모자란 부분들이 보이지? 인방과 기둥이 이어지는 부분이 많이 거칠어."

민수가 고개를 끄덕였다.

"확실히 만들 때는 몰랐는데, 이렇게 보니까, 좀 더 손을 봐야겠네요."

"너희들 고생 많은 거 나도 안다. 하지만 기왕 시작한 것, 제대로 마무리 지어야 하지 않겠어?"

그들을 격려하며 말을 이었다.

"이제 얼마 안 남았어. 다른 녀석들 코가 납작해질 시간도 말이야."

그 말에 팀원들의 얼굴이 밝아졌다.

고진감래의 끝이 보이고 있었다.

노트북을 닫았다.

'수정할 건 이미 다 전달했고, 이걸 다시 사용하는 건 팔상전이 끝난 다음이겠네.'

"정민아, 그건 우리 제작 자료 영상으로 남겨둘 거니까, 잘 보관해라. 그리고 수고했다."

정민이 씨익 웃었다.

"저보다 선배님이 고생 많으셨죠. 지금 CD로 구워 놓을게요."

승범도 내 어깨를 두드리며 말했다.

"어디 가서 좀 쉬다 와라. 며칠째 눈도 못 붙인 것 같은데."

"이따가 쉬면 돼! 정민아. 우리 과 하나, 너하고 승범이 것도 하나씩 복사해 둬라."

다음 해, 다다음 해에도 이런 작업을 할 때, 충분히 기본 자료로 활용할 수 있으리라.

그만큼 후배들은 오류를 범하지 않을 테니, 제작 속도는 배가 되겠지.

그걸 본 총장이 말했다.

"성훈 군, 이 영상을 좀 빌려줄 수 있을까?"

왜 빌려달라고 하는 거지?

순간 의문이 들었지만, 적어도 그는 허튼짓을 하는 데 쓰지는 않을 거라는 확신이 있었다.

"그러세요. 얼마든지요."

그에게 CD 한 장을 내밀었다.

"고맙네. 곱게 쓰고 돌려주겠네."

"감사합니다."

"고생 많았어. 끝까지 최선을 다해주게."

"네. 알겠습니다."

총장은 CD를 챙겨 들고 대목장을 찾았다.

"대목장, 사무실에서 차 한 잔 얻어 마실 수 있겠습니까?"

"얼마든지 환영합니다. 그런데 별로 좋은 차가 없습니다만."

"하하. 중국에서 좋은 차가 들어왔다고 합니다. '송빙호'라
고 하던데요?"

"엥. 그건 또 어찌 아시고?"

"저번에 비서가 대목장 사무실에 들렀었지요?"

"아!"

"그때, 입이 호강했다고 얼마나 자랑을 하던지. 만난 김에
차 한 잔 얻어먹고 싶어서 그럽니다."

"입맛에 맞으실지 모르겠습니다."

"맞다 뿐이겠습니까? 영광이지요. 중국 부자들도 아까워
서 못 먹다가 정말 귀한 손님이 왔을 때나 내어놓는다는 차
인데 말입니다."

최 옹은 정말 몰랐던 모양이다.

"중국 부자들도요? 이게 그렇게 좋은 차입니까?"

"허허. 모르셨던 모양이지요. 돈으로 사면 한 통에 일억은 가뿐히 넘을 겁니다."

"억!"

대목장의 눈이 동그래졌다.

이건 차가 아니라, 숫제 돈을 들이마시는 게 아닌가?

총장이 웃으며 말을 이었다.

"살 수라도 있으면 다행이게요. 돈이 남아도 못 구하는 것이 바로 그 차입니다."

"허허허. 그런 차였습니까? 저는 그런 줄도 모르고……. 그럼 당연히 대접을 해야지요. 가십시다."

감탄에 감탄을 거듭하며, 차를 마신 총장이 자리에서 일어날 때가 되었다.

"성훈이 녀석. 그냥 짠돌이인 줄 알았더니, 대접을 할 때는 제대로 합니다 그려. 이런 걸 선물할 생각을 하다니. 나한테는 일언반구도 없더니."

"아직 많이 있는데, 내어 드릴까요?"

총장이 양손을 내저었다.

"아니. 그럴 수야 있습니까? 성훈이, 그 녀석에게 무슨 험담을 들으려고요."

"나눠 먹는 걸 가지고 뭐라고 하겠습니까?"

"아닙니다. 생각나면 한 잔씩 마시러 오겠습니다."

"그러십시오."

"혹시……. 제 주변에 차를 즐기는 사람들이 있는데, 같이 와도 되겠습니까?"

"이를 말씀입니까? 언제라도 환영합니다. 차가 있는 한은 양껏 따라드리지요."

"감사합니다."

총장이 대목장의 양손을 부여잡았다.

차후 총장에 데려오는 사람들과 연을 맺을 것이다.

대목장은 모르겠지만, 한 통에 억이 넘는 차를 즐기는 사람이 어찌 일개 범부이겠는가?

총장이 자리에서 일어서며 말했다.

"좀 있다가 학과장을 모아서 회의를 할 겁니다. 연락을 드릴 테니, 함께 참석해 주셨으면 하오."

"알겠습니다. 이따 뵙지요."

"김 비서. 틀어보게."

대형 모니터에서 영상이 시작되었다.

총장의 설명이 이어졌다.

"이것이 기계공학과와 전자공학과의 작품을 가지고 김성훈 학생회장이 만들어낸 결과물이오."

좌중에서 감탄이 튀어나왔다.

"오! 그 모형을 이렇게 찍은 겁니까? 아직 완성은 되지 않았지만, 거의 실제와 흡사하군요."

제일 먼저 감탄을 토해낸 이는, 자체 면접을 제안했을 때, 성훈의 편을 들어준 전기공학과장 권 교수였다.

그가 다른 교수에게 물었다.

"기계과와 전자과 교수님들도 직접 보셨습니까?"

"아니요. 저희는 밤을 새웠더니, 몸이 영 시원치 않아서……."

"그러셨군요."

다른 교수의 칭찬도 이어졌다.

"아까 저런 걸 찍었다는 말은 들었지만, 실제로 보니 정말 감탄이 나올 정도군요."

"두 분 교수님은 어떻게 그런 생각을 하셨습니까?"

기계공학과 학과장이 머리를 절레절레 흔들었다.

"그런 생각이 어찌 이런 늙은 머리에서 나오겠소. 그 학생회장이라는 녀석이 내 사무실에 와서 얼마나 잔소리를 해댔는지 아시오?"

전자공학과 학과장도 맞장구를 쳤다.

"그러게 말이오. 이틀 밤낮을 잠도 안 자고 잔소리를 해댑

다다. 뒤통수 잡고 쓰러질 뻔했던 적이 한두 번이 아니외다."

"결과가 좋게 나왔으니 망정이지. 안 나왔으면, 이 자리에도 못 나올 뻔했소. 허허허."

다른 교수의 감탄이 이어졌다.

"이런 걸 보면, 대상을 타는 것도 충분히 가능성이 보입니다."

총장이 물었다.

"어떻소? 두 학과장이 지원을 해줘서 저만한 결과를 만들어 냈는데, 대견하지 않소?"

칭찬은 고래도 춤추게 한다던가?

아까까지 '고혈압'을 운운하며, 불만이 가득하던 두 교수의 입가에도 웃음이 어렸다.

"그렇습니다. 저렇게 쓸 줄 알았으면, 좀 더 신경을 써줄 것을 그랬습니다."

"허허허. 그렇습니까? 안 그래도 학생회장이 두 교수님 찾아갈 채비를 하고 있더군요. 신경 써서 마지막까지 잘 좀 도움을 주셨으면 하오."

'또 그 녀석을 만나야 한다고. 아이고. 머리야.'

성훈을 만날 생각을 하니, 또 뒤통수가 쭈뼛거렸지만 총장의 칭찬에 비하면, 그것은 아주 값싼 대가였다.

"이를 말씀입니까? 최선을 다하겠습니다."

며칠간의 노고와 두통이 총장의 격려 한마디에 단숨에 날아가 버렸다.

권 교수도 그들의 노고를 치하했다.

"기계과와 전자과에서 여러모로 고생이 많으셨습니다. 두 분의 노고가 없었다면, 어디 이런 결과가 나왔겠습니까? 왜 저를 안 불렀을까요? 저 같으면 당장 달려갔을 텐데……. 허허허."

그는 유쾌하게 너털웃음을 터뜨렸다.

하지만 그와 다른 의견을 가진 사람도 있었다.

"대단하다는 건 인정합니다만, 사실 우리 아이들을 도우미로 보낸 것이, 지금 와서는 약간 회의감도 생깁니다."

조선공학과의 학과장이었다.

그는 총장의 눈총을 받으면서도 말을 이었다.

"저희처럼 현재건설과는 약간 궤가 다른 과도 있습니다. 사실 도우미로 보내기는 했습니다만, 과연 그 아이들이 가산점을 받더라도 현재건설에 입사할 수 있을지 염려가 됩니다."

보험 든다는 생각을 그들을 도우미로 넣은 것은 사실이었지만, 사실 모든 학과가 현재건설과 연관이 있는 것은 아니었다.

조선공학과를 비롯하여, 화학공학과, 자동차공학과, 신소재공학과 등등 말이다.

이들이 건설회사와 어떤 연관이 있단 말인가?

총장이 조용히 고개를 끄덕였다.

'걱정이 되는 것도 당연지사겠지.'

그를 보며, 총장이 말을 이었다.

"이건 제 은밀한 비선을 통해서 들은 말입니다만, 자리가 자리이니만큼 말씀을 드리는 게 좋겠군요."

좌중의 시선이 총장에게 집중되었다.

'총장의 비선이라면 정보가 정확하기로 유명한 곳이 아닙니까? 무슨 말을 하려고.'

'그러게요. 저 정보가 틀린 적이 한 번도 없었지요. 총장의 인맥이 국내 각계에 퍼져 있잖소.'

그런 그의 입에서 나오는 말이니만치, 거의 확정된 사실이라고 봐도 과언이 아니었다.

총장이 차를 한 모금 들이켰다.

"어디에 가서도 입 밖에 내지 마시오."

모두 침을 꿀꺽 삼키며, 고개를 주억거렸다.

"이번 박람회는 현재 왕 회장께서 참석하실 예정이라고 하오."

"정말입니까?"

전 교수의 말에 총장이 가만히 고개를 끄덕였다.

조선공학과 교수가 전 교수에게 눈짓을 하며 속삭였다.

'그게 건축과 말고 다른 과에 무슨 상관이 있는지 모르겠

구려.'

이렇게 눈치가 없어서야.

권 교수는 작게 한숨을 내쉬며 설명했다.

'왕 회장이 방문하면, 다른 계열사 사장들이 가만히 있겠소?'

'아하!'

어떻게든 참석해서 눈도장을 찍으려고 하겠지.

회장의 눈 밖에 나면, 후계구도에서 득보다 실이 많으니까.

'혹시라도 왕 회장님이 마음에 드셨다고 해 보시오. 계열사 사장들이 서로 앞다퉈 관련된 인재들을 데리고 가실 거라는 말이오.'

'전 교수님. 하지만 그렇게까지 잘 될까요?'

'저걸 보고도 그런 말이 나오시오? 저런 작품이 이번 박람회에 또 나올 수 있을 것 같소?'

총장이 조용히 입을 열었다.

"아시다시피 건축에는 수많은 과가 연계되어 있소. 토목, 전기, 설비, 전자 등등. 거기에 아울러 아까 영상에서 보셨다시피, 기계과와 다른 과들까지도 모두 망라한 종합적인 작품을 만들고 있소."

조선공학과장을 보며 질문을 던졌다.

"현재그룹 또한 대한민국 산업 전반에 걸쳐 영향력을 끼치며, 연결되지 않은 곳이 없소. 조선공학과와 현재그룹이 관계가 없다고 할 수 있소?"

현재건설과 그룹은 차원이 다르다.

그는 양손을 내저으며 그 말을 부정했다.

"그럴 리가 없지요. 현재조선이 있잖습니까?"

"그렇소. 박람회는 곧 현재에서 인재를 뽑아가는 장소가 될 수도 있는 것이외다."

학과장들의 눈이 번뜩였다.

'어쩌면 총장에게 인재를 추천해 달라는 연락이 올지도 몰라.'

U대학의 인재는 필요하고, 그것을 뽑기 위해 학과장들에게 연락을 할 것인가? 그 돈 많은 그룹에서?

'이건 어쩌면, 정말로 우리 학과의 위상을 높이는 기회가 될 수도 있겠군.'

자리에 모인 학과장들의 눈에 생기가 돌았다.

총장의 얼굴에 미소가 어렸다.

'되었군. 이제 대목장을 소개할 시간이군.'

"그래서 내가 하려고 하는 말은……."

대목장을 지명하며 말을 이었다.

"건축과에서 여기까지 결과를 내는 데에는 대목장의 도움이 실로 작다고 할 수 없을 것이오."

좌중이 인정하며, 고개를 끄덕였다.

"바쁜 시간을 쪼개어 함께 자리해 주신 대목장께 박수를 부탁드립니다."

소개의 시간이 끝나고, 총장이 말을 이었다.

"부디 대목장과 협력하여 좋은 결과를 만들어냈으면 하는 바람이요."

"실측 잘 다녀왔냐?"

성훈의 물음에 보람이 앓는 소리를 냈다.

"아이고. 허리야. 죽겠다. 죽겠어."

오만상을 찡그리는 모양으로 보니, 많이 힘들었던 모양이다.

"훗. 엄살은? 뭐가 그리 힘들다고."

"우리가 만드는 게 뭐냐?"

"뭐긴 남대문이지."

성훈의 대수롭지 않은 대답에 보람이 물었다.

"남대문이 어디 있냐?"

"어디긴 어디냐? 서울 한복판이지."

보람이 고개를 끄덕이며, 허리를 뒤로 젖혔다.

"그래. 이 형님이 어젯밤에 출발했다가, 지금 돌아온 거라고. 그 동네는 차가 왜 그렇게 막히냐? 울산 시내는 거기 비하면⋯⋯. 아이고. 삭신이야."

보람은 말을 채 끝맺지 못하고, 또다시 신음성을 토해

냈다.

만 하루라는 시간 동안 좁은 봉고에서 몸을 움츠리고 있었으니, 아무리 젊어도 무리가 안 갈 수가 있으랴!

하지만 그런 어리광을 받아줄 여유 따위는 없었다.

"고작 그런 걸 가지고 그러냐? 우리는 법주사 일정을 하루만에 끝냈구만."

"그거야……."

보람은 성훈이 더 힘든 일정을 끝내고도 신음 소리 한 번 내지 않았다는 것을 상기했다.

적어도 동년배인 성훈에게 지고 싶지는 않았다.

허리를 곧추세우며 말했다.

"그냥 해본 소리야. 허리는 무슨……."

성훈의 이어지는 소리를 듣고는 입을 딱 벌렸다.

"우린 그날 바로 실측 자료 정리하고, 다음 날부터 모형 만들었다. 알지?"

'독한 것들. 니들은 잠도 안 자고 했다 그거지?'

성훈이 피식 웃으며 물었다.

"너희 팀은 그럴 수 있을지 모르겠다. 팀장인 너부터 골골거리는데."

처음부터 지고 들어갈 수야 있겠는가?

오기가 생긴 보람이 눈을 부릅뜨며 말했다.

"흥. 너희 팀이 한 걸, 왜 우리가 못한다고 생각하냐! 우리도 할 수 있다고."

"그래. 믿어보지. 건투를 빈다."

삐걱대는 허리를 세우며, 정신을 바로 잡았다.

거의 완성 직전의 팔상전을 보며, 전의를 불태웠다.

'너희들이 나흘 걸렸으면, 우리는 사흘 만에 끝내주지. 기다려라. 김성훈!'

그러나 그 전의는 채 반나절을 넘기지 못했다.

"성훈아, 얘기 좀 하자."

보람의 목소리에 성훈이 건성으로 대답했다.

"응. 얘기해. 거기 그렇게 올리면 처마가 안 살잖아. 사진 제대로 보고 안 해?"

한편으로 좋은 말로 달래기도 하면서…….

"이제 거의 끝나가. 이것만 하면, 맘대로 잘 수 있다고."

성훈은 당근과 채찍을 섞어가며, 일정을 강행하고 있었다.

그 말을 들으며, 보람이 속으로 투덜거렸다.

'잘 수 있다는 걸로 사람을 달래다니.'

어이가 없었지만, 어쨌거나 결과물은 나와 있었다. 그것도 자기 팀보다 더 멋있고 화려하게.

급한 정리가 끝났던지, 성훈이 돌아보며 물었다.

"지금 실측 자료 정리한다고 정신들이 없을 텐데. 여기는 어쩐 일이야?"

보람이 어색하게 웃으며 말했다.

"그게 말이야. 우리 중에 실측을 제대로 해본 사람들이 없더라고."

성훈이 입을 한쪽으로 오므렸다.

"오호라. 그래서 도와 달라?"

"그, 그렇지."

"그런데 어쩌냐? 나 좀 있다가 기계과에서 인형 만드는데 또 가봐야 하는데?"

"그럼……."

보람이 모형 제작의 중심에 앉아 있는 민수에게 눈을 돌렸다.

"저 녀석도 같이 갈 거야. 경호는 수업이 있고."

"크……. 젠장. 도와줄 사람이 없다는 거네."

'그럼 시간이 부족한데. 어쩌지?'

눈알을 돌리며 계산을 하는 보람에게 성훈이 말했다.

"우리 팀에 있는 애들, 누구에게 맡겨 놔도 실측도면 정리는 할 줄 알아."

"저, 정말?"

"응!"

성훈은 확신하며, 고개를 끄덕였다.

보람이 물었다.

"어떻게 그게 가능한 거냐?"

놀라는 보람을 보며, 성훈이 비릿하게 웃었다.

"그 방대한 자료를 나 혼자 정리할 수 있다고 보냐?"

"그럼 아니냐?"

'나도 사람인데, 절대 아니지.'

"각 파트마다 연계되는 부분은 둘이서 알아서 정리해 오라고 했지."

'그렇게 하면 내가 할 일이 대폭 줄어들거든.'

"그게 가능해?"

"한두 번 깨지고 나면, 스스로 터득하게 되어 있어!"

'트레이닝이 별거야? 할 수 있게끔 만들면 되는 거지.'

"그렇구나. 음……."

보람도 수긍이 된다는 듯, 고개를 끄덕였다.

"성훈아, 그렇게 하는데, 저항이 심하지 않았어?"

물론 처음부터 팀원들이 수긍했던 것은 아니다.

"처음에는 불평도 있었던 것 같은데, 무슨 상관이야."

팀원들을 보며 말을 이었다.

"지금 보라고. 아무도 불평하는 사람이 없잖아."

뻔뻔스레 답하는 성훈은 보며, 보람이 혀를 내둘렀다.

'내 눈엔 불평할 힘이 없어서 그런 걸로 보이는데?'

힘이 없어서 못 하는 거나, 수긍해서 반대하지 않는 것이

나, 결과적으로는 성훈이 보기에는 별반 차이가 없었을 테니까.

'모로 가도 서울만 가면 된다. 이거지?'

팔상전을 바라보니, 팀원들이 퀭한 눈으로 작업을 반복하는 모습이 보였다.

저도 모르게 안도의 한숨을 내쉬었다.

'저게 사람이냐? 좀비지. 내가 저 꼴이 안 된 것만 해도 다행이지.'

승범의 모습이 보이지 않았지만, 결코 편하게 작업을 하고 있지는 않으니라.

'지금쯤 피를 토하며 로봇을 만들고 있겠네.'

"그럼 쟤들 도움을 받으면 되겠네."

아직 방법이 남아 있다는 것이 다행이었다.

성훈의 말이 들렸다.

"그런데 쟤네들이 도와주려고 할까?"

자신들이 쫓아낸 사람들이었다.

상황이 그러했건, 어찌 되었건, 그것은 핑계일 뿐, 결과적으로는 그들은 모두 피해자였다.

그리고……

보람은 그들이 꼭 필요했다.

경험이 있는 자가 팀에 있으면 일 처리가 몇 배는 빨라질 것이 뻔한 노릇.

적어도 성훈 팀과 비슷하게라도 완성을 시켜야, 최소한의 자존심은 세울 것이 아니겠나!

고민하는 보람에게 성훈이 말했다.

"팀원들이랑 다른 팀장과도 의논해봐."

"의견 일치가 되면, 그때 와. 그럼 상황을 봐서 나도 입장 정리를 해 줄 테니까."

"알았다. 고마워."

성훈은 일어서는 보람을 보며, 말을 이었다.

"쫓아낼 때는 마음대로 쫓아냈지만, 돌아갈 때는 그만한 대우가 없으면 안 간다는 것 정도는 알 테지?"

"응. 알았어. 이따가 팀장들 데려올 테니, 그때 보자."

"쟤들 데려가는 건 좋아. 하지만 어디까지나 파견이야."

"알았어. 인정할게."

당장 마음이 급한 팀장들이 수긍을 했다.

무슨 바람이 불었는지, 박람회에 별로 관심이 없던 학과장들도 지원을 하겠다고 했고.

지원해 주는 만큼 잔소리도 많아져서, 얼른 결과를 내놓으라는 압박을 받고 있었다.

성훈의 팀이 공정한 경쟁을 하지 않는다고, 학과장에게 말하러 간 팀원이 있었다.

그가 말했었다.

'당연히 건의하러 갔었지. 그런데 귓등으로도 안 들으시더라고. 오히려 똑같이 지원해 줄 테니, 다시는 그런 말을 꺼내지 말라고 하더라고.'

'분명히 김성훈, 저 인간이 총장한테 뭐라고 한 거야. 총장이 성훈이 말이라면 끔뻑 죽잖아!'

장인들도 대목장에게 압박을 받았다. 빨리 십 분지 일 모형을 만들라고 말이다.

하지만 도면이 나와야 만들든지 말든지 할 것이 아닌가?

그들에게 남은 것은 팀장들을 압박하는 거였다.

얼른 실측도면을 만들라고 말이다.

지금 팀장들은 학과장, 장인, 그리고 팀원들에게 다각도의 압력을 받고 있었다.

그들에게 말했다.

"원래 위치로 돌리되, 못 해도 부팀장의 권한은 줘야, 나도 애들을 설득시킬 수가 있을 거야. 너희 시다바리나 하라고 보내는 게 아니라고."

한 팀장이 손을 들었다.

"저기, 성훈 선배님. 그럼 승범 선배는……."

승범이 원래 있던 팀이었다.

"당연히 팀장으로 가야지. 내가 방금 원래 위치라고 했잖아."

"알겠습니다. 선배님."

그는 그렇지 않아도 팀장의 자리가 버거웠던지, 얼굴에 반기는 기색까지 보였다.

보람이 의아한 얼굴로 물었다.

"성훈아, 그럼 너는 팀이 없어지는 건데, 괜찮겠냐?"

팀원들이 원래 자리를 찾아가는 것이었다.

당연히 내 팀은 해체되는 거지.

'그래서 내가 파견이라고 하는 거라고. 녀석들은 분명 각 팀에서 큰 전력이 될 거야.'

내 방식에 익숙하니, 여차한 경우에는 막무가내로 밀어붙일 것이다.

'그리고 내 팀의 일원이니, 내 지시가 우선이지.'

내가 필요하니 보내는 거지. 너희 좋으라고 보내는 건 절대 아니라고.

무엇보다 내 밑에 있던 사람을 너희들이 부릴 수 있을 것 같아!

'내 일정에 따라왔다는 것 자체가 보통 악바리들이 아닌 증거라고.'

보람의 말에 역으로 질문을 던졌다.

"그 팀 왜 만들었는지 기억하냐?"

"그거야, 심사의 자격……."

"그래. 그 팀은 내게 심사 자격이 있는지를 확인하기 위한 프로젝트 팀이었지."

팀장들이 고개를 끄덕였다.

'너희들은 그들이 탈락하기를 원했을지도 몰라.'

하지만 내 목적은 그들을 떨어뜨리는 게 아니라, 내 뜻을 이뤄줄 사람을 찾는 것이었다.

그리고 그들은 내 뜻을 잘 따라주었다.

그 결과, 다른 팀에서 2주 넘게 해온 성과를 따라잡는 데는 사흘도 걸리지 않았다.

'지금 가장 완성에 가까운 팀에 내 팀이니까, 그 정도면 완전히 역전시킨 거지.'

내 앞에 있는 사람들을 보며 물었다.

"아직도 내게 심사 자격이 있는지 묻고 싶어?"

사실 물어볼 필요도 없었다.

이미 결과는 나왔거든.

'심사의 자격? 누가 누굴 판단해?'

아무도 대답하지 않았다.

침묵의 가운데, 보람이 고개를 저었다.

"아니. 지금은 그런 말 하는 사람은 아무도 없어."

보람이 다른 팀장들에게 물었다.

"너희들은 어떻게 생각해?"

대답은 이미 정해져 있었다.

대목장이 인정했고, 총장도 인정을 했다.

"우리도 그래. 네가 심사를 하는 게 당연하다고 생각하고 있어."

그 말을 듣고 고개를 끄덕이며 팔상전을 가리켰다.

"난 이미 저걸 완성시켰어."

그들과 눈을 마주치며 말을 이었다.

"여기서 다른 건물을 또 만드는 게 이득일까? 아니면 너희 팀들을 돌아보며, 전반적인 품질을 높이는 게 이득일까?"

난 이미 팀이 필요 없어졌다.

내게 팀은 이미 자격 증명이 되는 시점에서 무의미해졌다. 내게 팀이란, 박람회에 나가는 모든 사람을 의미했다.

그러나 내가 50명을 모두 컨트롤 할 수는 없지 않을까?

그렇다고 각 팀의 팀장과 알력 싸움을 할 수는 없다.

'알력이 왜 생기냐고?'

그들도 자신들이 만들어보고 싶은 것이 있을 테니까.

'그걸 컨트롤하려면 내 수족들이 각 팀에서 중요한 위치를 차지하는 게 무엇보다 중요하다고.'

내심을 숨기고 좌중에게 말했다.

"너희들이 동의한다면, 난 너희들이 만드는 것을 도와주고 싶어. 어느 하나 흠잡을 데가 없는, 그런 최고의 결과를 만들어보고 싶다고."

보람이 말했다.

"나도 성훈의 생각에 찬성이야. 지금 이대로는 저 팔상전에 비해서 더 좋은 결과물이 나올 것 같지가 않아. 난 네가 도와준다면, 대찬성이야."

그 말에 웃으며 답했다.

"하지만 내가 도움 주는 게 그렇게 달콤하지만은 않을 거야."

"흥. 알거든. 까짓거 한 번 죽어보자. 네가 만든 거보다 더 멋있는 숭례문을 만들 테니, 나중에 질투나 하지 말라고."

결과적으로 팀장들은 모두 나와 뜻을 같이했다.

내가 하고 싶었던 건, 단순한 모형 만들기가 아니었다.

박람회에서 주목을 집중시킬 '그 무언가'를 만드는 것이었다.

'그건 모형의 완성도일 수도 있고, 사람들을 놀래킬 아이디어일 수도 있지.'

팔상전의 작업이 완료되고, 팀원들에게 각자 있던 팀으로의 복귀를 명령했다.

거부 따위는 받지 않을 생각이었지만, 다행스럽게 아무도
거부하지 않았다.

오히려 안도의 한숨을 쉬며, 기뻐했다.

"이제 드디어 잘 수 있겠구나."

눈이 뻑뻑한지, 눈물을 흘리는 사람도 있었다.

승범이었다.

그가 말했다.

"잘 있어라. 성훈아. 우리……. 이제 보지 말자. 제발……."

나는 그렇게 팀원들을 떠나보냈다.

팀원들을 파견 보내며, 딴생각을 하는 내가 얍삽하다고 생
각될 수도 있지.

'하지만 내 입장이 되어보라고.'

움직여줄 사람들이 있고, 그들은 트레이닝이 되어 있다.

내가 굳이 그들이 할 수 있는 일을 왜 하는가?

'나는 나대로 할 일이 있다고.'

각자 자기가 잘하는 것을 하면 되는 것이다.

이제 내게는 새로운 팀이 생겼다.

박람회 팀이.

새벽 3시.

모두가 잠든 시각임에도, 건축학과에서는 수십 명의 사람이 바쁘게 움직이고 있었다.

　학생회실에서 서류를 챙겨서 일어나는데, 보람이 찾아왔다.

　"성훈이 어디 가냐?"

　"응. 박람회 장소에 한번 갔다 오려고."

　"벌써 박람회장은 왜? 아직 시간이 남았잖아."

　"우리가 배정받은 자리에 문제가 없는지, 확인해야 해."

　"행사 직원들한테 물어보면 되잖아. 자리가 어디 도망가는 것도 아니고."

　그의 말에 웃음이 나왔다.

　'서류대로만 일이 처리되면 얼마나 편하겠니?'

　일은 절대로 계획대로 진행되지 않는다.

　자신이 생각하지 못한 변수가 훨씬 더 많다고.

　지난 삶에서 매번 같은 현장을 진행했음에도 불구하고, 한 번도 편하게 진행되었던 적은 없었다고.

　그리고⋯⋯.

　'공무원들이 하는 일을 어떻게 확신할 수 있었어?'

　그들의 일에서 발생하는 모든 문제는 하청업체들끼리 협의하에 진행해야 했었다.

　책상머리 행정의 가장 큰 피해자는 언제나 현장 담당이었다.

설령 그들이 잘못한다고 해도, 공무원에게 책임을 물을 수는 없었다.

다음 일거리를 받지 않아도 될 강단이 없다면 말이다.

"뭐? 지금 이 시간에 서울에 올라간다고?"

"응. 지금 가면 차도 안 막히고 좋아. 그런데 넌 웬일이냐?"

보람이 소파에 쓰러지듯 앉으며 말했다.

"머리가 아파서 좀 쉬러 왔다."

"팔자 좋은데, 팀장이. 너 없으면 애들 게으름 피우는 거 아니냐?"

"게으름 같은 소리하고 있네. 정말 몰라서 묻는 거냐?"

보람이 힘없는 미소를 보내며 말을 이었다.

"우리 팀에 너랑 똑같은 놈 하나 들어왔잖아."

다시 재투입된 팀원을 말하는 모양이었다.

"누군데?"

"정민이."

정민은 전자 전공으로 로봇의 눈에 카메라를 부착한 녀석이었다.

"그 녀석? 말 안 해도 알아서 잘할 텐데, 무슨 문제라도 있냐?"

"실측 자료 정리 끝나고 좀 쉬나 했더니, 바로 모형 작업에 들어가는 거 있지."

그야 시간이 없으니, 당연한 것 아닌가?

"그런데 왜?"

"애들을 아주 쥐 잡듯이 잡는다. 잡아."

"원래 네가 할 일이잖아. 편해져서 좋을 것 같은데?"

"흐흐흐. 그 애들에는 나도 포함된다는 말이지. 내가 말만 팀장이지. 정민이가 군기 반장이다."

"그러냐?"

"응. 내가 하는 말은 씹어도, 정민이가 하는 말은 칼같이 듣더라. 에휴. 정민이가 팀장이야."

"마찰이 심해? 일이 진행이 안 돼?"

보람이 고개를 저었다.

"일 진행은 빨라. 너무 빨라서 문제지. 애들이 정민이 페이스를 못 쫓아가. 곧 조만간 다운되는 애가 나올 것 같아."

"적절히 알아서 잘 조절하겠지."

"그렇다면 다행이지만."

"걱정되냐?"

"일이 진행에는 아무런 불만이 없어. 나보다 더 잘하니까. 그런데……."

"그런데?

"뭔가에 쫓기는 것처럼 보여. 옆에서 보는 내가 불안해 죽겠다. 덕분에 우리도 죽을 맛이고."

"그래서 하고 싶은 말이 뭔데?"

"너하고 똑같은 놈이 있는 것 같아서, 나도 심히 불안

하다. 도로 데려가면 안 되겠냐?"

농담조의 말이었지만, 진심이 담겨 있었다.

"허! 달면 삼키고 쓰면 뱉는 거냐? 자식아. 걔들이 사탕이야?"

이미 한 번씩 빌려나서 자존심에 상처 입은 녀석들인데, 또 데려가라고!

'어디서 어림도 없는 소리를. 그리고 무엇보다, 난 한 번 내 손에 잡힌 건 안 놓는다. 뽕을 뽑기 전에는 말이야.'

전체 팀원도 중요하지만, 내게는 내 손발을 대신해 주는 원래 팀원들이 더 소중했다.

그 팀원들에게 과부하가 걸리는 느낌이 들었다.

소파에서 일어서며 물었다.

"걔, 어딨냐?"

"저기…… 애들 잡고 있는 거 보이지?"

작업실로 들어서니, 정민의 목소리가 들려왔다.

"선배님들. 숭례문이잖아요. 외국인들이 제일 많이 알고 있는 거라고요. 한국의 국보 1호를 이딴 식으로 대충 만들 겁니까? 장인정신을 가지고 덤비라고요. 네?"

서슬 퍼런 정민의 말에 팀원들이 울상을 짓고 있었다.

"저거 봐라. 완전 너하고 똑같지 않냐? 아니, 너보다 더 심하다. 죽겠다. 죽겠어."

보람이 입술을 이죽거리며 말을 이었다.

"오죽하면 내 팀인데, 내가 들어가기가 다 무섭다. 야!"

그 모습을 보니, 피식 웃음이 나왔다.

'내가 보기엔 잘만 하고 있구만. 저거 하라고 보냈는데.'

정민은 남대문의 어설픈 석축 쌓기를 지적하고 있었다.

방법은 바르지만, 그동안 팀장을 맡고 있던 보람이 걱정할 정도라면 분명 문제가 있는 거였다.

슬쩍 보는 것만으로는 파악할 수 없는 문제가.

"이렇게 작업했다가 성훈 선배한테 걸리면 어떻게 되는지 알아요? 몽땅 부수고 새로 해야 돼요. 저니까 수정하고 넘어가는 거라고요. 성훈 선배 보기 전에 얼른 수정 작업 들어가요."

보람의 말처럼 팀원들을 쥐 잡듯이 잡고 있었다.

"좋기만 하구만. 카리스마 있잖냐?"

"그 밑에서 죽어가는 애들은 안 보이고? 가서 한마디만 해주라. 응?"

"그래. 가보자."

'정민아, 뒤. 뒤.'

팀원들의 눈치에 정민이 뒤돌아보았다.

그리고 벌떡 일어나 뒷걸음치다가, 탁자에 부딪쳐 멈춰

섰다.

"티, 티, 팀장님. 여기는 어쩐 일로."

"잘하고 있는지 보러 왔지. 문제가 있는 것 같은데, 뭐야?"

그의 어깨 너머로 작업 중인 남대문이 보였다.

정민이 아까 열심히 지직하던 부분을 슥 가렸다.

규모가 있으니, 가려지기야 하겠냐만, 최대한 감추는 것이 최선이었다.

단 며칠간의 작업이었지만, 성훈을 파악하는 데는 충분한 시간이었다.

'안 보면 넘어가도, 보고는 못 넘어가는 인간이지.'

그걸 가르쳐 준 사람은 민수였다.

두어 번 작업을 다시 하게 되자, 한숨 쉬며 가르쳐 준 비법이었다.

'성훈이 형이 보기 전에 후딱 수정해 버려. 형 눈에 보이면 처음부터 다시 해야 하니까.'

'적당히 넘어가 줄 가능성도 있지 않아?'

'그게 안 되니까. 그런 거지. 눈에 보인 건 그대로 안 넘어가. 내 말 잘 명심해.'

그의 머리로 민수의 말이 스치고 지나갔다.

다급하게 얼버무렸다.

"잘되고 있습니다. 팀장님은 신경 쓰지 않으셔도 됩니다."

"아까 수정이 어쩌고 그러더니, 수정으로 되겠어? 어설프

게 수정하느니, 처음부터 새로 하는 게 낫다고 내가 가르치지 않았나?"

"그렇습니다. 선배님. 하지만 아까는 제가 잘못 말했습니다. 잘못된 게 아니라, 측정에 오류가 있었던 겁니다."

"그래?"

성훈이 팀원들을 돌아보며 물었다.

"정말이야?"

"네! 맞습니다. 선배님."

팀원들이 이구동성으로 외쳤다.

'그럼 통솔에는 문제가 없는 거고.'

"정민이, 너 요즘, 애들 잡는다면서?"

정민이 눈에 쌍심지를 켰다.

"누가 그럽니까? 보람 선배, 선배가 그랬어요?"

선배이자 팀장이지만, 그건 그의 눈에는 중요하지 않아 보였다.

그의 말과는 달리, 뒤에 줄지어선 팀원들은 애처로운 눈빛으로 고개를 저었다.

"흠흠……."

보람이 헛기침을 하며, 내 등 뒤로 숨자, 정민의 호통이 이어졌다.

"선배. 저 혼자 잘 되자고 이러는 겁니까?"

그 말에 무슨 할 말이 있으랴?

정민의 말이 이어졌다.

"그리고! 팀장이 자꾸 그렇게 농땡이 치면 됩니까? 솔선수범해도 시원찮을 판에."

보람이 등 뒤에서 고개를 절레절레 저었다.

"봤지. 완전 시어머니야. 시어머니."

분위기가 어떠하든, 일은 확실히 진행되고 있었다.

'좋아. 아주 잘하고 있어.'

분위기도 험악하고 일도 제대로 진행되지 않는다면, 그것은 문제가 있는 것이다.

하지만 진행이 되고 있다면, 그것은 팀원들 간의 화목을 효율성으로 치환한 것일 뿐, 큰 문제가 아니지 않을까?

내가 원하는 건, 내 판박이를 팀에 박아두는 것.

승범을 비롯한 나머지 팀원들도, 팀에서 확고하게 자기 위치를 잡고 있었다.

거의 대부분 정민과 같은 상황이었지만.

'화목하기도 하고, 효율성도 좋다면 최고지. 허나 그런 것은 드라마에서나 가능한 일이지.'

최고가 불가능하다면, 최선의 길이라도 택해야 하는 것이 옳은 선택이었고, 정민은 그것을 확실히 인지하고 있었다.

'아무리 지지고 볶고 싸움을 해도, 결과가 좋으면 관계는 돈독해지기 마련이지.'

그동안에 있었던 모든 일이 추억이 되니까.

반대로 아무리 화목한 분위기에서 작업을 해도, 결과가 좋지 않으면 관계도 무너진다.

'그건 최악의 결과지.'

남는 것도 없고, 추억도 없다.

아름다운 추억이 되느냐?

아니면 하릴없는 시간 낭비가 되느냐?

그것은 인간 관계가 아니라, 그 관계를 통해 이룩해낸 결과에 의해 결정된다.

'나와 팀원들의 관계를 보면 알 수 있지.'

녀석들의 목표는 팔상전을 뛰어넘는 작품성을 가진 결과물을 만들어 내는 것이었다.

그런 결과를 만들어 내려면, 여기서 내 팀원들의 입지가 흔들려서는 곤란하다고.

그렇다고 다른 팀원들의 불만이 터져서도 곤란하다.

적당히 중재할 사람이 필요한 시점.

성훈이 말했다.

"힘들면 얘기해. 내가 도와줄게."

정민은 순식간에 등이 축축해지는 것을 느꼈다.

'선배님. 그건 어시스트가 아니라, 악몽이라고요.'

오죽하면 원래의 팀으로 돌아간다고 성훈이 말하는 때, 며칠을 괴롭히던 두통이 날아갔고, 위에 구멍이 뚫렸나 싶을 정도로 쓰리던 속이 편안해졌었다.

성훈과의 팀 작업을 통해, 정민은 큰 깨달음을 얻었다.

'오래 살려면 성훈 선배랑은 절대로 팀 안 먹습니다. 안 하면 안 했지. 선배님이랑 팀을 짜고 싶은 생각은 추호도 없어요.'

정민은 얼른 대답을 했다.

"아닙니다, 선배님. 저희가 할 수 있습니다."

"그래? 필요할 것 같은데. 팀원들도 불만이 쌓인 것 같고, 보람이 네 생각은 어떤데?"

그라고 별다른 반응이라?

팀원들이 사색이 되어 고개를 젓는 모습이 눈에 들어왔다.

그들의 눈동자는 하나를 말하고 있었다.

'안 돼! 절대로!'

성훈을 끌어들였다가는 팀원들 전체의 불평을 감내해야 하리라.

여우를 쫓아내려다, 호랑이를 불러들이는 꼴과 뭐가 다르겠는가?

"아, 아니. 그건 나도 정민이랑 생각이 같아. 지금도 정민이가 잘하고 있다고."

한숨 쉬며 대답하는 보람이었다.

"그렇구나. 난 괜한 걱정을 했네."

정민의 어깨를 두드리며 격려했다.

"정민아, 잘하고 있으니까, 딴생각 못 하게 계속 밀어붙여."

"네. 알겠습니다. 선배님."

칼같이 각 잡힌 정민의 대답이었다.

그리고 팀원들을 향해 말을 이었다.

"너희들도 정민이가 너무 오버한다고 생각되면 나한테 말해. 언제든지 도와주러 올 테니까? 물론 정민이로 안 되겠다 싶을 때도 마찬가지고."

팀원 전체가 이구동성으로 외쳤다.

"아닙니다. 절대! 그런 일은 없을 겁니다."

"보람이는 조금 있다 보내줄게."

보람의 손을 이끌고 복도로 나갔다.

"지금은 힘들어도 조금만 참아. 박람회에서 수상하고 나면, 이 괴로웠던 모든 것이 추억이 될 거야."

"알아. 애들이 너무 힘들어하니까 그랬던 거야."

"혹시 알아? 우리 모두 현재건설에서 만나게 될지? 그렇게 되면 어떨 거 같냐?"

내 말에 생각만 해도 즐거운지, 보람의 얼굴에 미소가 번졌다.

"그때 되어 가지고, 우리 기수끼리 동창회 하면 굉장히 재미있겠는데?"

그보다 더한 관계가 있으랴!

대학교 때부터 직장까지 다이렉트로 이어지는 관계. 그리고 고난을 통해 맺어진 끈적끈적한 관계.

그리고 그 구심점이 되어줄 특별한 사건.

평생을 통해 한 번도 만나기 어려운 인연들이리라.

'그렇겠네. 내가 이 녀석들을 몽땅 데리고 현재로 가면 어떤 일을 할 수 있을까?'

하지만 그것이 이루어지려면 박람회에서 대상 수상이라는 결과가 우선 되어야 한다.

지금은 화목과 우정을 찾을 때가 아니었다.

오로지 전진. 목표 달성.

그것이 중요했다.

"일단은……. 박람회만 생각하자. 알았지?"

"알았어. 네 말에 맞아. 내가 성급했어."

"팀원들 동요되지 않게 잘 추스르고. 나 서울 가고 없는 동안 다른 팀들도 잘 부탁한다."

"걱정하지 마라. 서울에 일도 잘 처리하고 와라."

서로 격려하며 이별을 고했다.

내 등 뒤로 정민의 으르렁거리는 소리가 들렸다.

"보람 선배, 이리 와요. 할 일이 태산이란 말이에요. 얼른!"

작업 진행은 내 팀원들에게.

팀의 분위기는 기존의 팀장들에게.

당분간은 문제없이 진행될 것이다.

카미에 올라타 시동을 걸었다.

부릉.

76장
마무리 작업

박람회장은 서울 종로에 있었다.

차를 주차하고 안으로 들어가려는데, 전화벨이 울렸다.

'민수가 왜 전화했지?'

−형, 서울에는 잘 도착하셨어요?

"응. 지금 막 종로에 도착해서 들어가는 중이야."

−가이드 음성 녹음 때문에요.

"왜 문제 있어?"

로봇의 동작을 수정하고, 디테일을 만든 것까지는 좋았는데, 설명을 해줄 목소리가 부족했다.

'아무리 로봇을 섬세하게 잘 만들면 뭐해. 그건 설명을 편하게 하고, 시선 집중을 위한 도구일 뿐이라고.'

─…….

민수의 침묵에서 망설이는 게 느껴졌다.

'녀석. 하여간 남한테 안 좋은 소리는 못한단 말이야. 너무 착해.'

"대충 알아들을 테니까, 그냥 까놓고 말해. 말 돌리지 말고."

─한 교수님은 문제가 없어요. 그런데 정희 씨는 긴장해서 그런지 발음이 좀 꼬여요. 영어 발음 자체도 좀 문제가 있구요.

주변의 인물 중에서 사람을 찾으니, 만만한 여자가 전자과의 정희밖에 없었다.

돈으로 돈질을 하자면, 못 할 것이 뭐가 있겠냐마는, 그건 마지막에나 생각해 볼 방법이었다.

"음. 그렇다는 말이지."

외국인들을 상대하는데, 한국말로 설명할 수는 없지 않나!

'물론 대사관 직원이니, 어느 정도 알아듣기는 하겠지만, 디테일한 설명은 어렵다고.'

만의 하나지만, 가이드를 하고 있는데도 질문이 날아들 수도 있었다.

물론 내가 대답을 받을 수도 있지만, 항상 그곳에 붙어 있을 수는 없었다.

'원어민 발음은 둘째 치고, 회장에서 긴장 때문에 버벅거리면 영 모양새가…….'

상상만 해도 고개가 저어지는 상황이었다.

서울이라면 유학을 다녀온 학생들이 많으니, 영어의 구사가 좀 자유로웠겠지만, 지방에 있는 대학들은 아직은 영어에 대한 진입 장벽이 높았다.

'쯧. 일이 꼬이면 안 되는데.'

그렇다고 지방에서 영어를 유창하게 구사하는 성우를 구하기는 쉬울 것인가?

"그럼 일단 영문과 쪽에다가 사람 구한다고 공문 보내. 알바비는 학과 경비에서 처리하고."

-알았어요. 형.

"나도 여기서 틈나는 대로 사람 구해볼 테니까, 너무 걱정하지 말고."

-그쪽은 문제없죠?

"그래. 아직은 없어. 만약 생겨도 여기는 내가 알아서 할테니까, 작업 마무리나 잘해 줘."

-고생하세요, 형.

시작부터 살짝 꼬이는 느낌이 들었다.

박람회장으로 들어갔다.

아직 2주 정도 시간이 남았는데, 벌써부터 작품을 배치하는 사람들도 있었다.

자리 배정표를 들고, 우리 자리로 향했다.

"음. 8∼11이라……. 여기서부터 저기……."

벽 끝에서 반대편 벽 끝까지.

일부러 한 면을 다 차지하도록 자리를 받았다.

"옳은 선택이었지. 응?"

누군가가 우리가 작품을 설치할 곳에 박스를 쌓아 둔 것이 보였다.

'옆 팀에서 진열하는 작품인가? 저렇게 박스를 쌓아두면 다른 사람들도 거기에 물건을 쌓는단 말이야.'

이상한 심리지만, 남이 그렇게 하면, 자신도 그렇게 하는 것에 대한 죄책감이 사라진다.

분주하게 작업을 하는 12번 구역으로 가서 말을 걸었다.

"혹시 저 박스, 이 팀에서 가져오신 겁니까?"

진열을 하다가 나를 본 여자가 고개를 저었다.

"아뇨. 저희 건 아니에요."

'뭐라고? 그럼 다른 팀이 가져다 놓은 건가?'

작업 상황을 보니, 한참 전부터 한 것 같았다.

그녀는 누가 가져다 뒀는지, 알 수도 있겠다는 생각이 들었다.

"여기 U대학 건축 모형을 설치할 자리인데, 혹시 어느 팀에서 두고 간 건지 아세요?"

우리 자리에 다른 팀의 물건이 있는 건 빨리 치워버리는 게 좋았다.

'우리 팀 자리라고 팻말이라도 세워 둬야겠어.'

파손 시, 책임질 수 없다는 문구와 함께.

"U대학이라고요? 잠깐만요?"

그녀는 의아한 표정으로 뒷주머니를 뒤적였다.

"전 한복주 디자이너 자리라고 알고 있었는데."

"그럴 리가요?"

그녀는 표를 확인하고는 내게 그것을 내밀었다.

"제 기억이 맞네요. 거기 한복 진열이 될 자리예요."

"네?"

"여기 보세요. 10~11, 한복주, 전통한복. 이렇게 되어 있 잖아요."

'이게 어떻게 된 일이지? 분명히 그렇게 신청을 했는데.'

신청을 하고도 몇 번이나 확인을 했던 부분이었다.

"제 표에는 그렇게 되어 있는데."

내 표를 보고는 그녀가 말했다.

"제 표가 좀 더 최근 거네요. 주최 측에 가서 알아 보셔야 겠는데요?"

그녀의 말에 고개를 끄덕였다.

"네. 아무래도 그래야 할 것 같군요."

자리를 뜨기 전, 그녀에게 물었다.

"여기 물건 가져다 놓으신 분들 금방 오시겠죠?"

"네. 짐꾼들이 짐만 놓고 갔으니까, 진열하시는 분들도 금방 오실 거예요."

이건 큰 문제였다.

한복집에다가 자리를 돌려달라고 말하는 것도 무식한 짓.
그러면 그들도 피해자가 되겠지.

그렇다고 공무원에게 가서 따진다?

지난 삶에서 그런 일은 수도 없이 해봤지만, 변하는 것은
없었다.

그들은 아무것도 하지 않으니까.

책임자의 사무실로 찾아갔다.

내 배정표와 변경된 것을 그의 앞에 들이밀었다.

"왜 제가 알고 있는 것과 다른 겁니까?"

"그게…… 담당 직원을 불러서 물어보겠습니다."

잠시 후 담당자가 왔을 때, 책임자는 대뜸 호통부터 쳤다.

"무슨 일 처리를 그렇게 하는 거야!"

"부장님, 그게…… 경미 씨가 담당했었는데, 나중에 접수
를 받으면서 누락된 걸 알게 되었죠. 그래서 한동안 난리가
났었잖아요."

"아. 그랬지. 그래서? 그 직원이 따로 연락하기로 하고 일
단락 된 거잖아?"

"그게……. 연락이 안 된 모양입니다."

"쯧쯧. 그 직원 어디 있어?"

"이민 간다고 사표 냈습니다. 이번 가을에."

"하. 이거 골치가 아프게 되었네. 하필이면 U대학이야?"

"왜요? 그 대학에 뭐가 있습니까?"

"얼마 전에 신문에 났잖아. 현재건설이 취업 지원하기로 했다고 말이야."

"아! 이런……."

둘의 속닥거림만으로도 모든 상황을 파악하기에는 충분 했다. 누군가 실수를 했고, 그 직원은 그만둬 버렸다.

그리고 왜 책임자라는 사람이 고분고분한 건지도.

그가 돌아서서 말했다.

"저희 직원이 실수를 한 모양입니다. 죄송합니다."

"그래서요?"

난감하기는 나도 마찬가지였다.

웃음으로 대응해 줄 상황이 아니었다.

'내게 필요한 건 당신의 사과가 아니라, 내 작품을 놓을 자 리라고.'

"조금만 양보해 주시면 안 될까요?"

절로 코웃음이 나왔다.

'홋. 무슨 양보?'

당신들은 양보하지 않으면서, 나만 일방적으로 양보하라 고? 그걸 나보고 받아들이라고?

고개를 숙이며 사과를 하니, 화를 낼 수는 없었지만, 그의 말은 이거였다.

'해줄 수 있는 게 없으니, 포기하고 물러나세요.'

좀 더 달래다가 안 되면 당사자들끼리 해결하라고 하겠지.

하! 지친다. 지쳐.

한숨을 내쉬는데, 책임자가 말했다.

"사실 한복주 디자이너가 아니라, 다른 집 같았으면, 그쪽에 양보를 부탁드렸을 겁니다. 그런데 그게……."

"계속 말해 보세요."

"저희가 박람회를 기획할 때부터, 한복주 선생님은 뺄 수가 없을 정도로 비중이 있었습니다."

한복주 디자이너, 나도 이름은 알고 있었다.

'나중에 한복 디자인으로는 독보적인 사람이 되지.'

이런 사람과 갈등을 만든다는 건, 명분을 떠나서 그것 자체로도 마이너스였다.

'어떡하냐? 김성훈.'

그가 연신 고개를 숙이며 물었다.

"혹시 좀 구석진 자리지만, 거기라도 괜찮으시다면……."

"그건 의미가 없습니다. 왜 제가 처음부터 이어서 받았겠습니까?"

"그렇습니까?"

이미 따지는 것은 의미가 없었다.

그들이 자리를 마련해 줄 수 있는 게 아니었다.

다른 자리가 필요한 것도 아니었다.

작품을 띄엄띄엄 놓고, 사람들에게 설명을 하라는 말인가?

다음 작품을 설명하기 위해 장소를 옮기는 동안, 딴 팀 작품들이 눈에 들어올 텐데.

'그럼 이미 주의력은 흐려지고, 승부는 끝나버린 상황이 된다고.'

참으려 해도, 그동안의 고생이 물거품이 될 수도 있다고 생각하니, 참을 수가 없었다.

억눌린 감정이 꾹 다문 이 사이로 흘러나왔다.

"당신네들 때문에 지금까지 짠 계획이 다 엉망이 되었다고요. 알아요?"

"그게 저희도 어쩔 수가 없는……."

심호흡을 하며, 마음을 가다듬었다.

'침착하자. 김성훈. 이미 물 건너간 걸 되새기면 뭐하겠어?'

하지만 여기서 그냥 물러간다는 건 말이 안 되는 일.

'잃었으면 얻는 것도 있어야지.'

그리고 내 자리는 스스로 얻어내겠어.

그게 안 되면 대책이라도 마련을 해야지.

그에게 물었다.

"당신들이 내게 해줄 수 있는 게 뭡니까?"

내게서 타협할 건수를 봤음인지, 그는 안도의 한숨을 내쉬며 말했다.

"박람회를 하는 동안 불편한 게 있으시면, 이번에는 무조건! U대학의 요청을 우선적으로 처리하겠습니다. 그건 약속합니다."

"약속하신 겁니다. 무조건이라고 하셨습니다."

"네! 무조건 말입니다."

다시 자리로 돌아오니, 벌거벗은 마네킹들이 줄을 서 있었다.

주변으로 디자이너들이 한복을 입히고 있었다.

그중에 단연 돋보이는 사람.

60 정도로 보이는 여자가 현장을 가로지르며, 옷매에 대한 지적을 하고 있었다.

"어깨선을 좀 더 살려줘요. 아니, 그렇게 말고, 이렇게 한복을 잡고 올려야지. 봐요? 아까랑 달리 훨씬 선이 살지 않아요?"

"그걸 생각 못 했네요. 선생님."

한 발 뒤로 물러서서 보기도 하고, 가까이 다가가 살펴보기도 하며, 옷의 맵시를 살리고 있었다.

멀리서 그 광경을 지켜보고 있었다.

'다짜고짜 가서, '양보해 주세요'라고 말할 수는 없잖아.'

지피지기 백전불태.

거래를 하려고 하면 상대가 뭐가 필요한지를 알아야 하는 법이다.

괜히 멋모르고 다가갔다가는 경계심만 북돋을 뿐이었다.

'그래서 지금은 관찰밖에 방법이 없다고.'

어차피 방법은 하나뿐이었다.

그녀에게 양보를 얻어내는 것.

몽땅 양보받을 필요도 없었다.

작품을 만들 때, 넉넉하게 공간을 구성했지만, 줄일 수 있는 부분을 줄이면 된다.

'약간, 한 칸 정도면 충분하다고.'

허나 그건 내 생각일 뿐.

'저렇게 준비를 했는데, 양보를 하겠어? 내가 봐도 저건 한 로트에 넣을 수가 없다고.'

빽빽하게 작품만 채운다고 좋은 결과가 나오는 건 아니다.

작품을 돋보이게 하는 것은 그에 걸맞는 배경이 있을 때가 아니던가?

한국의 미는 여백의 미라고도 말한다.

나도 내 작품들을 빽빽하게 배치할 생각이 없었다. 그래서 넓은 공간이 필요한 것이고.

전투에 앞서, 상대의 감정을 파악하는 것은 어리석은 짓이다.

하지만, 어떻게 하나?

'보기 싫어도, 그렇게 보이는걸. 젠장!'

그리고 잠시 후, 나는 그녀의 행동에서 일정한 패턴을 찾을 수 있었다.

뭔가 마음에 들지 않을 때, 하는 동작.

남들이 보기엔 우아하고 기품이 있었지만.

또다시 그녀의 습관이 나왔다.

마네킹에게 다가가, 눈을 맞추고 한복의 선을 정리한다. 그리고 뒤로 물러나 전체적인 조화를 확인한다.

'거기까지가 일반적인 동작이지. 그리고 거기.'

그리고 나서 그녀는 입술을 만지작거리며, 아미를 찡그렸다.

나이를 먹었지만 주름 하나 없는 미간에 주름이 파였다.

"휴. 좀 더 생동감이 있으면 좋을 텐데. 옷맵시가 영 마음에 안 드네."

그리고 입술에서 한숨이 흘러나왔다.

'생동감이라면 모델인데, 모델을 왜 쓰지 않는 걸까?'

그사이 또다시, 그녀의 고민이 입으로 흘러나왔다.

"요즘 모델들은 몸매가 서구적이라서, 한복이 어울리는 애들이 없던데……. 이를 어쩐담."

그녀의 고민을 들으며 잠시 생각을 해 봤다.

'모델은 서구적이라서 못 쓰겠고, 옷이 생동감이 없다라…….'

뭔가 빛이 보이는데, 명확하지 않았다.

그녀의 고민을 좀 더 듣다 보면, 길이 보일 것 같았다.

'한 여사와 이야기를 해 보면 뭔가 떠오를 것 같은데.'

그녀는 한복의 멋을 살리고, 나는 자리를 되찾을 수 있다면, 최고의 결과가 나올 수 있을 텐데.

지금은 번뜩이는 재치. 그것이 부족했다.

일단 부딪쳐보기로 했다.

서글서글하게 웃으며 인사를 건넸다.

"안녕하세요. 옆 칸에서 건축 모형을 전시할, U대학의 김성훈입니다."

그녀가 옷매무새를 다듬으며 돌아섰다.

"어머. 그래요? 반가워요. 이웃사촌이 되었네요."

인자한 웃음으로 나를 맞았다.

그녀는 형식적인 인사를 하고는 다시 한복을 향해 눈을 돌렸다.

'이보세요. 그렇게 단답형으로 끝나서는 대화가 이어질 수가 없다고요.'

인사 후에 바로 대사를 치고 들어가야 했다.

시간의 틈새는 어색함을 만들고, 어색함이 생기면, 다시 말을 붙이기가 애매하다.

어쩔 수 없는 선택이었다.

답답한 사람이 우물을 파야 하는 법.

그다음은 어떡하냐고?

'뭘 어떡해! 임기응변으로 대응해야지. 그래도 나이 차가 있으니, 작업 거는 걸로는 안 보이겠군.'

급한 마음을 숨기며 그녀에게 말을 건넸다.

"선생님 한복이 태가 너무 고와서, 눈을 뗄 수가 없네요."

찬사의 말에 그녀는 나를 향해 시선을 돌렸다.

그리고 고개를 모로 꺾으며, 부드러운 눈웃음을 지으며 물었다.

"고마워요. 이웃사촌."

다른 사람이 보기에는 매혹적인 웃음이었지만, 내가 보기엔 지극히 상대에게 맞춘 형식적인 응대로 보였다.

'정말 베테랑이군.'

이 일을 하면서 얼마나 많은 사람을 만났겠는가?

그리고 한복 업계에서 이름을 날릴 정도면, 그녀의 고객들 또한 평범한 사람은 아닐 터.

방금 전의 표정 변화를 보며, 그녀가 녹록지 않은 사람이라는 생각이 들었다.

왜 그런 생각을 하냐고?

'아까까지는 짜증을 내고 있었다고.'

그런데 돌아보는 동시에 표정이 바뀌었다.

닳고 닳은 사람도 하기 힘든 고난도의 테크닉!

"특히나 어깨에서 소매까지 이어지는 곡선이 황홀할 정도로 아름답네요."

"어머. 정말 그래 보여요?"

조금 전과는 달리 약간 눈을 흡뜬 표정이었다.

'의외네?' 하는 얼굴.

그녀의 반응에 아랑곳하지 않고, 한복에만 시선을 고정시킨 채, 조용히 고개를 끄덕였다.

그녀도 내 눈길을 따라 저고리를 바라보며 말을 이었다.

"아직 젊어 보이는데, 눈썰미가 좋네요."

"눈썰미랄 게 있나요? 그냥 그렇게 보이는 걸요."

"하지만 요즘의 젊은 사람들은 선보다는 화려한 색상에 더 초점을 맞추죠."

그녀는 작은 한숨을 내쉬었다.

"우리 민족은 백의민족이라고 불렸다고 알고 있습니다."

그렇다고 우리가 그저 수수한 민족이었느냐?

'내 생각에는 절대 안 그렇거든.'

흰색이라고 해서 그냥 흰색만 있는 줄 아는가?

은은한 미색, 살짝 아이보리가 섞인 색, 백설기처럼 하얀색, 오히려 세분하여 들어가면, 이보다 더 화려할 수 없으리라.

수수해 보이는 가운데 화려함이라면, 한민족도 어디 꿀리지 않을 정도다.

'쩝. 어쨌거나, 그건 내 생각일 뿐이고.'

나보다 더한 전문가 앞에서 그런 말은 해 봐야 독이 될 뿐이다.

그녀가 대답했다.

"그랬지요."

생각을 접고 말을 이었다.

"그래서 그런지, 궁중에서는 얼마나 화려한 색상의 비단으로 한복을 지었을지 몰라도, 일반 백성들은 주로 백의를 입었겠지요."

그녀는 말없이 고개를 끄덕였다.

"색으로 멋을 낼 수 없으니, 그 외의 것으로 멋을 내지 않았겠습니까?"

"예를 들면?"

"선이지요. 옛날 붓글씨나 난을 치는 것이 그러했듯이요."

"일리가 있는 말이군요."

꼬박꼬박 존대를 하는 그녀에게 말했다.

"말씀 낮추세요. 이웃사촌이라지만……. 저보다 나이가 있으신데."

서글서글하게 웃으며 말하는 내가 싫지는 않았던지, 아들을 보는 미소로 내게 말했다.

"그러도록 할게. 성훈 군."

"감사합니다."

"그런데, 어깨의 어디가 그렇게 예뻐 보여?"

"음……. 제가 한복을 잘 몰라서."

그녀의 의도를 몰라, 뜸을 들이는 내게 그녀는 가느다란 눈웃음으로 내게 대답을 재촉했다.

'혹시? 테스트?'

"큼. 큼."

입을 막고 헛기침을 하는 척하면서 잠시 생각을 정리했다.

'그녀는 이북에서 살다가 6.25 때 여기로 넘어왔다. 그리고 남편을 일찍 여의었다고 했지.'

홀홀단신의 몸으로 자수성가를 했고, 그럼에도 3남매를 훌륭히 키웠다고 들었다.

'생각해 보니 대단하네. 미색이 뛰어나니, 그녀를 원하는 남자들도 많았을 텐데.'

여기 진열된 한복들은 그녀의 인생을 축약해 놓은 것이 아닐까? 하는 생각이 들었다.

남편에 대한 정절을 지키고, 아이들에 대한 사랑으로 인생을 살아온 여성의 인생.

생각을 정리하고 그녀에게 물었다.

"제가 진짜로 한복에 대해서는 아는 게 없으니까, 그러려니 하고 들어주세요."

"그럼. 나도 건축에 대해서 말하라고 하면 한 마디도 못할 건데."

"그냥 생각나는 대로 말할게요."

그녀의·얼굴을 보며 말을 이었다.

"저 옷을 보면 그런 느낌이 들어요. 어깨에서 선이 내려오는데, 참 기품이 있구나 하구요. 새하얀 옷깃이 목에서부디 내려와서 쇄골과 가슴팍을 살짝 덮어주네요. 그리고 목덜미에서 어깨까지 비스듬히 내려오다가, 어깨에서 힘을 준 듯, 안 준 듯 자연스럽게 꺾이면서 소매로 내려가죠."

"……."

그녀는 나의 말을 조용히 듣고 있었다.

"가녀려 보이지만, 그 안에 기품이 있어요."

"가녀려 보이는데, 기품이라……."

"여성의 어깨는 남자에 비해 아담하죠."

그녀는 내 말에 말없이 고개를 끄덕였다.

한복의 명인 앞에서 설명을 한다는 것이 낯간지러웠지만, 지금은 그런 것을 따질 때가 아니었다.

'어떻게든 그녀의 마음을 사로잡고, 자리를 양보받아야 한다고.'

설명을 이어갔다.

"그 느낌이 누가 어깨를 감싸주는 것 같아요. 그러면서도 선에는 힘이 있죠. 우리나라 여성들의 정조? 정절이라고 해야 하나요. 그런 게 보이는 느낌이랄까요? 아름답네요."

칭찬은 고래도 춤추게 한다던가?

그녀의 눈도 춤을 추듯, 초승달처럼 휘어졌다.

'내가 한복에 대해서 알면 얼마나 알겠어?'

아까 그녀가 했던 말들을 단어만 살짝 바꿔서 반복하는 것 뿐이었다.

물론 그렇지 않더라도, 그녀의 한복은 충분히 아름다웠 지만.

'이런 말발을 여자한테 써먹었다면, 장가를 가도, 몇 번은 갔을 텐데.'

아쉽지만, 이번 삶에서는 여자에게 눈길이 안 가는 것을 어쩌라는 말인가?

'괜찮아, 김성훈. 남자는 능력만 있으면, 여자가 줄을 선다 고 했어. 너 능력 좋잖아.'

스스로를 자위하며 마음을 달랬다.

'이제 칭찬은 충분하겠지.'

이제 본론으로 들어가야 할 시간이었다.

"전 한복을 모르지만, 여기 선생님의 작품들에는 정말 감 탄을 금할 수가 없네요. 그런데……."

그녀가 미간을 오므렸다.

"그런데? 왜? 뭐가 이상해?"

"아뇨. 아무것도 아니에요."

"뭔데 그러니. 말해도 돼."

그녀의 말에 정색하며 시치미를 뗐다.

"정말 말이 잘못 나왔어요."

"그래?"

그녀가 지나가는 직원에게 말했다.

"김 실장, 여기 차 두 잔만 가져다줘."

나를 향해 말했다.

"오래 말했더니 목이 마르네. 성훈 씨도 목마르지?"

이야기하는 사이에 시간이 많이 흘렀던 모양이다.

아까의 직원이 다가와, 소반을 내밀었다.

"선생님, 여기, 유자차로 타왔습니다."

직원은 공손한 자세로 차를 건네고 사라졌다.

"날도 쌀쌀해졌다고 일부러 유자차로 타온 모양이네. 성훈 씨도 한잔 마셔. 따뜻하고 좋을 거야."

잔을 받아들고 한 모금 마셨을 때, 그녀가 말했다.

"성훈 군, 입으로는 한복을 모른다고 하는데, 말하는 걸 들어보면 꽤나 생각을 많이 해 본 모양이네? 어떻게 그런 생각을 하게 된 거야?"

"저도 한국의 미를 연구하는 사람이잖아요. 한국의 건축과 복식은 닮았거든요. 한복의 어깨선과 한옥의 처마선의 기울기를 비교하면서 얼마나 유사한지를 연구하기도 해요."

"응. 그렇구나. 나는 그런 쪽으로 한 번도 생각해 보지 않았는데?"

"집이라는 건, 사람들이 하는 모든 행동의 배경이 되거든요. 그 안에서 만들고, 밥 먹고, 입고, 자죠."

그녀가 고개를 끄덕였다.

"그러니까 당연히 집 안에서 행동하는 사람들을 연구하게 되는 거죠. 옷이라든지 하는 걸요."

건축의 특성상 종합예술이기에, 어쩔 수 없이 관련될 수밖에 없었다.

모든 것은 사람을 닮아간다.

개는 주인을 닮고, 집도 사람을 닮아간다.

찻잔을 입에서 떼고 그녀가 물었다.

"유자차 맛있지?"

"네. 새콤한 게 아주 맛있네요. 선생님도 많이 드세요."

그녀가 샐쭉하니 나를 보며 웃었다.

"칭찬을 많이 먹었더니, 배가 부른데?"

'무슨 칭찬?'

"아! 한복이요? 그냥 솔직히 말한 거예요."

그녀가 마네킹들을 훑어보며 말했다.

"솔직히 말하면, 나는 마음에 안 드는데."

아까 혼잣말을 하던 그것을 말하는 것 같았다.

멀뚱히 바라보는 내게 그녀가 말을 이었다.

"성훈 씨도 아까 말하려고 했던 게 그런 거 아니야? 뭔가 마음에 안 드는 것."

시치미를 떼며 어깨를 으쓱했다.

"전 잘 모르겠는데요. 예쁘기만 한데……."

그녀가 은근하게 운을 뗐다.

"난 뭔가 맘에 안 드는 게 있는데, 그게 뭔지를 콕 찍어서 알 수가 없네?"

아까 그녀가 했던 말을 그대로 할 수도 있었다.

하지만…….

여자의 마음은 자신도 모른다고 했던가?

수시로 변하는 것이 갈대만은 아니라고 했다.

'여기서 덥석 말했다가는…….'

유자차까지 주는 것으로 보아, 내게 호의가 있는 것은 분명했지만, 그 호의가 적의로 변하는 것은 순간이었다.

'지금까지 공들인 게 한순간에 박살 날 수도 있다고. 김성훈. 말조심하자.'

"글쎄요? 선생님도 모르시는 걸 제가 알 리가 없잖아요."

씨익 웃으며, 순진한 척 받아쳤다.

한참을 한복으로 대화하다가, 슬쩍 말을 꺼냈다.

"아까 뭔가 부족한 게 있다고 말씀하셨잖아요."

"응. 그랬지. 뭔가 생각난 게 있어?"

그녀가 다급하게 물었다.

처음의 느긋한 태도에 비하면, 장족의 발전이었다.

"단점이라거나 걸리는 것은 아닌데……."

"괜찮아. 얼른 말해 봐."

'김성훈, 여기서 말을 잘해야 해!'

그녀가 아까 중얼거렸던 것은 '동적인 느낌의 부족'이었다.

하지만 여기서 '그런 느낌이 부족하네요'라고 말한다면 어떻게 될까?

물론 그녀가 대범한 사람이라서 아무것도 아니게 넘어갈 수도 있지!

하지만 대범한 사람이 아니라면?

'차를 마시는 동안 괜히 단어를 고른 게 아니라고.'

어떤 단어도, 부정의 느낌이 들어가면 안 된다.

한 번 보고 말 사람이라면 몰라도, 지금처럼 내 일과 연관된 여성일 경우에는 더더욱.

단어의 선택에 머리가 지끈지끈 아파왔다.

'이거 은근히 긴장되네.'

단어를 고르고 골라, 입을 열었다.

"선생님, 제가 잘 몰라서 그런지 몰라도, 지금은 아름다워요."

"으흠."

그녀는 작은 코웃음으로 내게 다음 말을 종용했다.

"하지만 나중에 저걸 입고 움직이면 어떻게 보일지는…… 솔직히 모르겠네요."

두근거리는 마음으로 그녀의 반응을 기다렸다.

'60 먹은 아주머니와 여기서 밀당이라니……'

걱정과 달리, 그녀의 반응은 '공감'이었다.

"그렇지? 성훈이가 보기에도 그렇지?"

"제가 잘 몰라서 그렇게 보이는 걸 거예요."

"나도 아까 느낌이 부족하다는 생각은 했는데……. 그게 입히고 움직이지 않아서 그런 거였어."

그녀에게 물었다.

"선생님, 모델을 쓰시면 되지 않나요?"

"그걸 생각을 안 해본 것은 아니야. 하지만 그 모델들의 걸음걸이와 우리 한복이 어울린다고 생각해? 그리고 체형은 또 어떻고?"

'가녀린 어깨선과 떡 벌어진 어깨라……'

확실히 서구적 체형과는 약간 밸런스가 맞지 않았다.

"한복을 입고 런웨이를 걷듯 하는 건, 좀 아니군요."

그녀가 눈썹을 으쓱하며 웃었다.

"그래. 그래서 내가 모델을 쓸 수가 없는 거야. 한복을 입었으면, 조선의 여인들처럼 하늘하늘 그렇게 걸어야 제멋이 나는 법이거든."

"당연하죠."

그녀의 말에 한 여자가 떠올랐다.

한 여사의 말처럼, 하늘하늘하게 걸으며, 너울너울 춤출 수 있는 여자를.

그녀를 떠올리며 말을 이었다.

"선생님, 저 한복에 어울릴 만한 사람을 알고 있는데, 소 개해 드려도 될까요?"

고민하던 그녀가 내게 고개를 획 돌렸다.

"정말? 그런 사람이 있어? 어디 모델이야?"

"아뇨. 모델은 아니고, 학생이에요. 그런데 너무 갑작스러 운 연락이라서 곧바로 만날 수 없을 수도 있어요."

"아직 시간이 있으니까, 마음에 들면 설득하면 되는 거지. 일단 연락이나 해 봐."

그녀에게 부탁을 하면 들어줄까?

소개팅을 몇 번이나 하면서 많이 친해지기는 했지만, 그녀 가 어떻게 생각할지는 알 수 없었다.

'안 되면 목숨 빚 갚으라고 땡깡 부려야지. 뭐. 이자도 안 붙는 목숨 빚, 얼른 처분하는 것도 괜찮네.'

방법은 많았다.

경호나 민수를 부채질해서 그녀의 후배들을 불러내는 수 도 있었고.

잡념을 덜어내고 수화기를 들었다.

'일단 현주부터 의견 타진을 해 보고.'

현주는 공연을 마치고, 돌아가는 길이었다.

"현주야, 식사라도 하고 가지 않으련? 2시가 넘었는데?"

현주는 조수석의 의자를 뒤로 젖혔다.

"아냐. 엄마. 너무 피곤해. 얼른 가서 씻고, 침대에 눕고 싶어요."

"그래도 식사는 하고 가는 게 좋지 않겠어? 우리 매번 가던 레스토랑에서……."

"엄마, 미안. 피곤해."

현주는 눈을 감은 채 말했고, 이내 잠이 들었다.

10분이나 지났을까?

현주의 전화벨이 울렸다.

힘없는 손짓으로 전화기를 핸드백에서 꺼내 들고 귀로 가져갔다.

"여보…… 세요. 어멋! 성훈 씨."

그녀가 상체를 벌떡 일으키며 자세를 바로 했다.

무슨 통화를 하는 것일까?

"네. 아. 모델요? 그럼요. 가능하죠."

"지금? 종로에요? 아뇨. 괜찮아요."

"호호호. 미안하긴요. 절대 무리한 거 아니니까. 네. 좀 있다 봐요."

짧은 대화 내용으로 봐서는 성훈이라는 남자가 현주에게 뭔가를 부탁했고, 그걸 수락하는 모양이었다.

통화가 끝나고 엄마가 물었다.

"누구니?"

"성훈 씨."

"저번에 너 구했다는 그 학생?"

"응. 맞아."

"그 학생이 왜 너한테 전화를 했니?"

"그건 됐구. 엄마. 나 여기서 내려주세요."

방금 전까지 피곤해하며, 밥도 먹기 싫어하던 딸이 눈에 생기가 넘쳐 있었다.

"종로 가려고?"

"왜 엄마는 남의 통화를 엿듣고 그래요?"

이런……

이 좁은 차 안에서 엿듣고 말고가 어디 있겠는가?

어이없는 얼굴을 하고 현주를 바라봤다.

"조금 더 작은 소리로 통화를 하지 그랬니? 별꼴이야."

"엄마, 나 여기서 내려달라니까."

그녀는 전혀 차를 세울 생각이 없었다.

오히려 그 성훈이라는 남자가 어떤 남자인지 보고 싶었다.

물론 현주가 위험할 때 구해 줬다는 것 정도는 알고 있었다.

하지만 그건 현주의 말이었고…….

'어떤 의도로 접근을 하는지는 알아봐야 하지 않겠어? 현주가 너무 순진해서, 그 남자에게 혹한 것일 수도 있고.'

딸의 친구인 미현의 말을 들어보면 사실인 것 같기는 한데, 어디까지나 추억 보정일 거라 생각했다.

'말이 그렇잖아. 무너지는 건물의 지붕에서 여자를 안고 뛰어내린다는 게 말이나 돼? 영화 찍는 것도 아니고.'

그리고 그녀의 딸에게 대시를 하는 남자들은 많았지만, 현주가 직접 관심을 보이는 경우는 거의 드물었기에 더 호기심이 당겼다.

그런데 그 남자에게서 갑작스레 연락이 왔다.

그것도 모델이 되어 달라는 요청과 함께.

그녀의 직감이 말했다.

'어디서 수작이야! 수작이!'

그것보다 더 어이가 없는 건, 낯선 남자의 부름에 쪼르르 달려가고 싶어서 안달이 난 딸의 모습이었다.

'에구. 너무 곱게 키웠어. 세상이 얼마나 무서운지 몰라.'

두 모녀가 박람회장으로 들어섰다.

사람들이 분주히 움직이는 가운데, 저 멀리 성훈의 모습이 현주의 눈에 들어왔다.

"저기 있어요. 엄마. 저 남자!"

성훈을 가리키며, 현주가 화사한 미소를 지었다.

그녀는 딸의 미소를 보며, 어이없다는 표정을 지었다.

"입 다물어. 이것아. 철딱서니 없이……. 쯧쯧."

"아까부터…… 엄마는 참."

엄마가 입구에서 성훈을 살피며 물었다.

"저 녀석이 네가 입에 부르고 닳도록 자랑하던, 그 성훈이니?"

"내가 언제?"

"흥. 내가 오죽했으면 얼굴도 모르는 남자를, 이름까지 기억하겠니? 요것아!"

"엄마, 자꾸 쓸데없는 소리 하면 가만 안 있을 거야!"

"그럼. 네가 엄마한테 어쩔 건데."

몇 번이나 소개팅을 주선하면서, 성훈과 만났지만, 이렇게 개인적으로 만나는 것은 처음이었다.

좋은 모습을 보이고 싶었는데, 엄마는 별로 달가워하지 않는 것처럼 보였으니, 현주는 속이 상했다.

'기분 좋은 모습을 보이고 싶었는데.'

"자꾸 이럴 거면, 엄마 먼저 가! 나 택시 타고 갈 테니까."

엄마의 계속되는 놀림에 현주가 뾰로통한 표정을 지었다.

성훈이 있는 부스로 가기 전, 현주가 물었다.

"엄마, 나 화장 영 아니지?"

현주의 말에 엄마가 작게 한숨을 내쉬었다.

'한 번만 더 말하면 백 번이다. 백 번.'

방금 전까지 공연을 하고, 화장을 지우지도 않고 왔는데, 아름답지 않을 리가 없다.

그리고 여기에 오는 동안에도 얼마나 화장을 고쳤던가?

"예뻐."

그녀가 퉁명스럽게 대답했다.

좋은 말도 한두 번이지. 이제는 입이 아플 지경이니, 이것도 많이 인내한 거였다.

"정말이지?"

"애! 신부 화장도 그거보다는 못 해."

확신하는 엄마의 말에도, 현주는 울상을 지었다.

"엄마, 지울까?"

"어디서? 이것아. 예쁘다니까!"

그녀는 고민하는 현주를 뒤로하고 마음을 다졌다.

'어떤 놈팡인지 몰라도, 여기서 확실히 마음을 정리하게 하는 게 좋을 거다. 어디 우리 현주를 넘봐.'

모델을 해달라고 한다고 했다.

'수영복이라도 입힐 심산인가? 싸구려 모델을 시키려고 감히 우리 현주를 불러!'

전의를 불태우며, 딸을 불렀다.

"현주야! 가자."

부스 앞에는 성훈과 한복을 단아하게 차려입은 여성이 이야기를 나누고 있었다.

하지만 그녀의 눈에는 여자는 보이지 않고, 오로지 성훈만이 보였다.

'혼쭐을 내주지.'

뒤에서 내 이름을 부르는 소리가 들렸다.

뒤돌아보니 현주가 환한 미소를 띤 채, 손을 흔들며 걸어오고 있었다.

"저 친구예요. 이제 왔나 보네요."

"어머나. 멀리서 척 봐도 선이 참 곱네. 뭐하는 처자지?"

이제는 한 여사도 내가 불편하지 않은지, 스스럼없이 말을 하고 있었다.

"한국무용을 한다고 하더라고요. 저도 잘은 모릅니다."

"그런데 소개를 해 준다고 했을 때는 확신이 있었을 거 아니니?"

"네. 저 친구가 춤추는 걸 봤거든요."

MT에서의 기억을 되새기며 말을 이었다.

"아마 부채춤의 일종 같았어요. 아니, 그때는 부채를 들고 있지 않아서 확신은 할 수 없지만."

"오호라. 그럼 전통무용을 전공하는 모양이네."

"네. 맞아요. 하여간 전 살면서 그렇게 아름답게 춤추는 사람은 못 봤습니다."

다가오는 그녀를 보며, 한 여사가 내 옆구리를 툭 찔렀다.

"저 처자가 좋아서 그렇게 보인 건 아니고?"

그녀의 장난에 장단을 맞추며 너스레를 떨었다.

"저런 예쁜 여자가 춤을 추는데, 안 예쁘면 그게 더 이상한 거겠죠."

"말 돌리기는. 능글맞아."

한 여사가 눈을 흘기며, 내 등을 툭 때렸다.

"성훈 씨, 오랜만이에요."

오랜만에 보는 얼굴이지만, 그래도 여전히 그녀의 미소는 예뻤다.

"반가워요. 현주 씨. 그리고 갑작스런 부탁이었는데, 들어 줘서 고마워요."

그리고 옆으로 눈을 돌렸다.

"같이 오신 분은 누구세요?"

"아. 우리 엄마예요. 인사하세요."

그녀에게 인사를 했다.

"안녕하세요. 김성훈입니다. 반갑습니다."

그녀를 향해 정중하게 허리를 숙였다.

반면, 그녀는 형식적으로 인사를 받으며, 고개를 까닥였다.

"네. 반가워요. 성훈 씨."

고개를 들었을 때, 현주의 어머니가 입을 꾹 다문 채, 나를 보고 있다.

노려본다고 하는 게 어울리지 않을까?

'혹시 내가 실례되는 행동이라도 한 건가?'

그녀가 입을 열었다.

"우리 현주에게서 얘기는 많이 들었어요."

"아. 그렇습니까?"

"네. 우리 현주가 위험에 처했을 때, 큰 도움을 받았다고 들었어요."

"그건 당연히 해야 할 일이라고 생각했습니다."

"그런데 왜 그렇게 위험에 처하면서까지 우리 현주를 구했나요? 혹시 다른 마음이라도 있었던 거 아닌가요?"

현주 쪽을 힐끔 보자, 그녀도 당황했던지 어쩔 줄 모르는 표정이었다.

"성훈 씨, 미안해요. 엄마. 이리 와요. 나랑 얘기 좀……."

하지만 그녀의 엄마는 단호했다.

현주의 손을 옆으로 밀치며 말을 이었다.

"현주가 당신에게 도움을 받은 것은 사실이에요. 그리고 고마워하는 것, 또한 진심이에요. 하지만 오해하지는 말아줬으면 좋겠어요."

"어떤 오해를 말씀하시는 건지?"

"현주가 당신을 좋아한다고 착각하지는 말아 달라는 말이에요."

"엄마!"

그녀는 뭔가를 오해하고 있었다.

'오해가 있으면 풀어버리면 그만이지.'

현주 말고 다른 사람을 써도, 박람회의 일정은 충분히 소화할 수 있다.

'하지만 남에게 이상한 녀석으로 취급받는 건 별로 기분이 좋지 않다고.'

그녀의 눈을 직시하며, 단호하게 말했다.

"네. 그건 착각하지 않겠습니다."

"그럼 됐어요."

"현주 어머님. 그런데 왜 그런 걱정을 하셨는지 여쭤도 될까요?"

"현주에게 모델을 부탁한다고 얘기를 들었어요."

현주가 언성을 높였다.

"엄마, 그건 내 일이라고요."

"혹시 수영복이라도 입힐 생각이라면, 그런 생각은 애저

녁에 접으세요.”

“엄마! 누가 수영복 이야기를 했다고…….”

그녀는 현주의 제지하려는 손을 옆으로 쳐냈다.

“현주는 성훈 씨에게 고마운 마음이 남아 있어서 덥석 허락한 모양인데, 저는 보호자로서 전혀 그러고 싶은 생각이 없어요. 그걸 말씀드리러 왔어요.”

‘이분이 나를 파렴치한으로 보시나?’

“일단 수영복 모델은 아닙니다.”

“그럼 뭔가요?”

그녀가 생각하는 모델은 쌍팔년도에 선술집에 걸린 달력 모델을 생각하는 것 같았다.

‘오십을 바라보는 나이시니, 무리는 아니지만.’

하지만 사람을 잘못 봐도 한참 잘못 봤다.

그리고 자신의 딸도 잘 모르는 것 같고.

그녀의 어디가 수영복이 어울리는 몸인가?

‘안고 뛰어내릴 때 보니까, 45킬로도 안 나가겠더구만. 수영복 모델은 자고로 ‘올록이볼록이’여야 한다고요.’

그녀가 도전적인 눈빛으로 물었다.

“그럼 뭔가요?”

내가 설명하기보다는, 옆에 있는 한 여사에게 넘겼다.

“선생님께서 설명을 해 주시죠.”

그녀는 그제야 내 옆에 누가 있다는 것을 알아차린 모양이었다.

한 여사도 황당한 모양이었는지, 멍한 표정으로 있다가 내 말에 얼른 고개를 숙이며 인사했다.

"한복 만드는 늙은이예요. 한복주라고 해요."

현주의 엄마도 퍼뜩 놀라 인사를 건넸다.

"아. 네. 안녕하세…… 네? 한복주 선생님?"

그녀는 인사를 하다말고, 고개를 번쩍 들었다.

자신이 아는 그 사람인지를 확인하는 모습이었다. 그리고 눈이 동그래졌다.

"어머나. 한 선생님!"

"네. 맞아요. 그런데 뉘신지?"

한 여사가 고개를 모로 돌리며, 그녀를 살폈다.

하지만 금세 생각이 나지는 않는지, 눈을 깜빡이고 있었다.

"어머. 그사이 더 예뻐지셨어요."

영문을 몰라…….

"저를 아세요?"

"어떻게 선생님을 모를 수가 있어요. 한복하면 한복주 선생님이 제일 먼저 떠오르는데요."

"고마워요. 그렇게 높이 봐 줘서."

"그럼? 모델이라는 게, 선생님 한복 모델이었나요? 호호호. 저는 그것도 모르고."

아까 모델에 대한 선입견은 어디로 날아갔는지, 얼굴에 웃음이 만개한 채, 한 여사를 치켜세우고 있었다.

한 여사가 말했다.

"어머님, 아직 정해진 것도 아니고."

"어머. 망설일 게 뭐가 있어요? 선생님 옷이라면 당연히 해야죠. 현주에게 영광이죠. 현주야! 이리 와 보렴?"

현주도 어색하게 인사를 건넸다.

"안녕하세요. 선생님. 고현주라고 해요."

현주의 인사가 끝나자, 다시 그녀의 어머니가 수다를 떨었다.

"저 완전히 선생님 팬이에요. 오죽하면 시집갈 때도 선생님 한복을 입으려고, 식을 석 달이나 미뤘다니까요."

"그러셨나요. 호호."

그 모습을 보며, 어이가 없어졌다.

'고수일세. 난 한 여사 마음을 여는 데, 한 시간이 넘게 걸렸는데…… 단 일 분 만에…….'

따발총처럼 말을 하며, 한 여사 칭찬을 하고 있었다.

한 여사는 어색하게 웃으며 내게 눈짓을 했다.

얼른 옷이나 입혀 보자는 말이리라.

'맘에 들었으니, 입혀 보고 싶은 게지.'

내 눈이 정확하다면, 저기 걸린 옷들 어느 것을 입혀도 현주에게 딱 맞을 것 같았다.

"선생님, 여기서 이야기를 하실 것이 아니라, 빨리 한복을 입어 보는 게 어떨까요?"

기다렸다는 듯, 한 여사도 내 말을 받았다.

"그래요. 성훈 씨 말이 맞아요. 저쪽에 가요. 여기! 김 실장!"

차를 줬던 직원이었다.

"저기랑 저기. 마네킹에 있는 한복이 치수가 맞겠네. 가지고 탈의실로 따라오도록 해요."

그녀가 현주 모녀를 이끌고 탈의실로 향했다.

김 실장이 들어오며 물었다.

"선생님, 가져왔어요. 어느 분께……."

한 여사가 손사래를 치며 말했다.

"내가 직접 입힐 테니, 김 실장은 나가 봐요. 현주 씨는 옷을 벗어 볼래요?"

현주가 탈의를 하는 동안, 엄마가 물었다.

"한 선생님, 그런데 성훈 군과는 어떻게 아는 사이세요?"

그녀의 물음에 한 여사는 빙긋 웃었다.

"이웃사촌이죠. 이제 이리 와 봐요. 오른팔부터 끼우고. 그렇지."

"그럼 성훈 씨도 서울에 살아요? 저는 울산에 살고 있다고 들었는데요."

"아! 실제로 이웃이라는 말은 아니고, 우리가 있는 옆 부스에서 박람회를 하게 돼서 그렇게 말한 거예요."

그녀가 고개를 끄덕였다.

"그렇지. 그 상태로 양팔을 벌려요. 어머나. 피부가 백옥 같네. 어쩜. 가슴도……."

수줍어 가슴을 가리는 현주 대신 엄마가 말했다.

"호호호. 선생님. 절 닮아서 그래요. 그런데 성훈 군과 친한 것 같던데, 언제부터……."

현주의 미간이 찌푸려졌다.

'호구 조사라도 할 생각인 거야?'

엄마의 관심은 모두 성훈에게 가 있는 것 같았다.

'처음에 날라리처럼 보는 것보다는 좋지만, 엄마가 관심을 가질수록 성훈 씨는 부담스러워할 거라고요.'

그리고 성훈이 자신을 어떻게 볼지 걱정되었다.

여자가 어떤 모습으로 나이 먹을지 알고 싶으면, 장모 될 사람을 보라고 하지 않던가?

'엄마는 참! 성훈 씨가 날 보고 어떻게 생각하겠어.'

반면 한 여사는 그녀의 수다가 별로 신경 쓰이지 않는 모양인지, 차분하게 웃으며 옷매무새를 잡고 있었다.

'아! 민망해.'

"엄마, 옷 갈아입는 데 방해돼요. 나가시면 안 돼요? 선생님도 정신없어하잖아요."

현주의 타박에도 엄마는 굴하지 않았다.

도리어 현주를 혼냈다.

"선생님은 아무 말씀 안 하시는데, 네가 왜 그러는 거니? 다 네가 걱정돼서 하는 말이야. 이것아."

"걱정하지 않으셔도 돼요. 엄마, 내가 한두 살 먹은 어린애는 아니잖아요."

"에구, 어린애가 아닌 사람이! 사내가 부른다고, '네!' 하고 쪼르르 달려오니? 그것도 말만 한 처녀가?"

"그건 엄마가 성훈 씨가 얼마나 좋은 사람인지 몰라서 그래요. 제발 간섭 좀 그만하세요."

"흥. 순진해 빠져서. 내 딸이지만 정말……."

저 나이 때의 사랑이란!

물거품 같아서. 쉽게 사랑하고, 쉽게 상처받는다.

그리고 비슷한 수준의 사람들이 만나야, 그 차이를 못 느끼고 살아갈 수 있는 법.

혹시라도 발생할 수 있는 사고는 미연에 방지하는 것이 엄마로서의 최선이었다.

그러려면 성훈이라는 사람을 알아야 하는 것 아니던가?

'그게 어떻게 쓸데없는 간섭이냐고. 응?'

오히려 부모의 마음을 몰라주는 현주가 원망스러웠다.

그사이, 치마의 주름을 모두 정리한 한 여사가 일어나며 말했다.

"성훈 군과는 오늘 처음 봤답니다."

"그런데 모델 부탁을 하셨다고요?"

"그건 아니에요. 모델을 부탁한 게 아니라, 성훈 군과 얘기를 하다가, 어울릴 만한 모델이 있는데 입혀 보는 게 어떻겠냐고 제안을 하기에 한번 만나 보기로 한 거죠."

현주의 어깨를 톡톡 치며 말을 이었다.

"사실 긴가민가했거든요. 젊은 사람이 안목이 있어 봐야, 얼마나 있을까 하고 생각했으니까요. 하지만 성훈 군의 눈이 정확한 모양이네요."

"그게 무슨 말씀이세요?"

"제 한복에 정말, 이보다 더 잘 어울리는 모델이 있을까 하는 의문이 들 정도니까요."

현주가 입은 그녀의 작품을 보며, 흐뭇하게 미소를 지었다.

"자! 이제 나가 보죠. 성훈 군이 현주 씨 칭찬을 많이 했는데, 마음에 들어 하려나 모르겠네."

농담 섞인 한 여사의 말에 현주의 얼굴이 상기되었다.

탈의실을 걸어 나오며, 한 여사가 성훈에게 한쪽 눈을 찡긋했다.

'어때? 생각했던 대로 나왔어?'라는 자신만만한 표정이었다.

성훈도 현주의 자태에 만족스러운 웃음을 지었다.

예상했던 대로 현주는 한복이 잘 어울렸다.

'하지만 겨우 이런 정도를 생각하고, 그녀를 부른 것은 아니라고.'

성훈이 떠올렸던 건, 그녀의 춤사위가 어우러졌을 때의 이미지였다.

그녀의 춤사위가 한 여사의 한복을 얼마나 생동감 있게 살릴 것인가?

그게 관건이었다.

'완전히 한 여사의 마음을 사로잡아야, 내 말발이 먹힌다고.'

현주에게 말했다.

"한 바퀴 돌아봐요."

"이렇게요?"

현주가 양손으로 치맛자락을 살짝 집어 들며, 제자리를 돌았다.

치맛자락이 회전력을 이기지 못하고, 덩실 떠올랐다가 살포시 내려앉는다.

성훈이 고개를 갸웃거렸다.

'아직 충분하지 않아.'

현주에게 미소를 지으며 물었다.

"저번에 펜션에서 췄던 춤 기억나요? 부채춤 같은 거. 이렇게, 아니, 이렇게 하는 거였나?"

성훈이 손을 머리 위로 치켜들고 허우적거렸다.

현주의 다년간 숙련된 동작을 성훈이 금세 따라 할 수 있을 리가 없다.

로봇처럼 뻣뻣한 동작에, 엄마가 미간을 좁히며 물었다.

"현주야, 네가 저런 춤을 췄었니?"

그 말에 현주가 피식 웃었다.

"그럴 리가 없잖아. 성훈 씨! 이거요?"

그녀가 사뿐사뿐 한 걸음씩 내디디며, 동작을 시작했다.

양쪽으로 활짝 펼쳐진 소매는 너울너울.

땅에서 비상한 치맛자락이 휘리리릭.

그녀는 곱디고운 발놀림으로 어느새 몇 바퀴를 돌았다.

그 모습에 박람회 진열을 하던 모든 사람이 손놀림을 멈췄다.

"야!"

"어쩜!"

허나 감히 평하지 못하고, 그저 감탄의 한숨만 입에서 터져 나왔다.

성훈이라고 별반 다르랴!

저도 모르게 입을 반개한 채, 그 춤사위에 빠져들었다.

그저 한숨만 나왔다.

'하아. 꿀꺽.'

펜션에서 봤던 것보다 한층 더 수준 높은 춤사위!

'이래서 옷이 날개라 했던가?'

그때도 한복을 입은 것 같은 환상을 보았지만, 오늘은 한복의 기품이 그녀의 멋을 최고조로 살리고 있었다.

물론 그녀의 춤사위에 한복의 선도 살아 움직이듯 자연스럽게 그 아름다움을 뽐냈다.

이런 콜라보에 어찌 감탄하지 않으랴!

연분홍 치맛자락의 너울거림이 사람들의 영혼을 사로잡았다.

이윽고 최고조인가?

치맛자락이 터질 듯 팽창했고, 소맷자락은 아름다운 곡선을 그렸다.

그렇게 큰 호를 그리며 성훈의 앞에 다다랐을 때, 나비처럼 살포시 무릎을 꿇었다.

사르르륵.

옷깃 스치는 소리만이 박람회장을 지배했다.

고요한 정적!

그리고 압도적인 존재감.

'바로 이거야. 바로 이거!'

그녀가 가쁜 숨을 내쉬며, 수줍게 고개를 들었다.

멍하니 자신을 내려다보는 성훈이 보였다.

"이거 말하는 거죠?"

현주가 머리를 찡끗 모로 젖히며 미소 짓고 있었다.

"으…… 응. 맞아요. 그거!"

너무 우아한 자태에 잠시 넋이 나갔던 거지.

홍조를 띤 그녀의 얼굴이 그렇게 아름다울 수 없었다.

그리고 거기에 동조한 또 한 사람.

한 여사도 감탄했는지, 숨을 몰아쉬고 있었다.

벌어진 입술과 흥분한 눈동자를 한 채.

'너무 놀라서 숨 쉬는 걸 잊었을지도 모르지.'

성훈이 물었다.

"어때요? 선생님."

한 여사에게서는 감탄사보다 박수가 먼저 터져 나왔다.

짝짝짝짝!

"어쩜……. 이보다 더 잘 어울리는 사람이 있을까?"

그녀의 박수 소리를 시작으로, 정신을 차린 사람들도 감탄의 박수를 쳤다.

아름다운 것을 본 보답, 응원, 격려와 감사.

"잘 봤어요, 아가씨. 대단해요."

"한 선생님, 이번에는 선생님이 대상을 타시겠는데요."

한 여사가 웃으며, 그들에게 인사를 했다.

"예쁘게 봐줘서 고마워요. 모두들."

사람들은 한 여사를 응원하며, 도로 자신들의 일에 집중하기 시작했다.

'저도 저런 반응을 바랐던 겁니다.'

이런 상황인데, 한 여사가 현주를 모델로 쓰지 않을 수가 있을까?

'흥행이 확실히 보이잖아! 순간적으로 사람들의 이목을 확 쓸어 담았다고.'

누가 신호를 한 것도 아니었다.

풍악을 울린 것도 아니다.

그저 조용한 가운데, 우아한 동작과 화려한 색상!

가녀린 손짓이었지만, 그것만으로도 대중을 압도하기에 충분했다.

'한 여사만 좋은 일 시키는 거 아니냐고?'

과연 그럴까?

천리마를 샀는데, 마구간에만 넣어두는 멍청이가 있을까?

저런 역동적인 모델은 움직여야 한다.

'그러면 세워놓은 마네킹은 들러리에 불과하지! 있으나 없으나, 아무런 상관이 없다고.'

왜냐고?

아무도 마네킹을 보지 않을 테니까!

그런 한 여사에게 과연 부스가 차지하는 비중이 얼마나 될까?

저 자리를 고수해야 하는 절대적인 이유가 있을까?

상황이 바뀌었으면, 대처도 달라지는 법.

난 지금의 상황에 어울리는 자리를 찾아주면 된다고. 그럼 당연히 저 자리는 내 것이 되지.

'내가 그렇게 만들어줄 거라고.'

그녀의 무대가 박람회장 전체가 되도록.

"어쩜, 그렇게 고운 선을 만들어 낼 수가 있는 거야?"

한 여사는 현주의 손과 팔뚝을 만지며, 신기해하고 있었다.

"너무너무 예뻤어. 현주 씨."

한 여사는 예쁘다는 말 말고는 생각이 안 나는지, 연신 감탄 중이었다.

그리고 내 옆구리를 쿡 찌르며, 작은 소리로 추궁했다.

'대체 어떻게 이런 처자를 데려올 수 있는 거야? 엉. 얼른 불지 못해?'

기분이 들뜬, 장난기 섞인 음성.

어깨를 으쓱하며 대답했다.

'그냥 전화하니까, 오던데요?'

필요해서 부르는데, 밀당이 어디 있나?

차선책은 세상에 넘쳐나니까.

'적어도 내가 답답하지 않은 이상, 난 절대 밀당 같은 거 안 한다고.'

딜을 걸 시간이 다가오고 있었다.

하지만 그 전에 과연 그녀는 이런 모델을 어떻게 사용할지 계획이 잡혀 있을까?

하지만 일단은 모델 섭외를 완결 지어야겠지.

"현주 씨."

숨 정리가 끝났는지, 그녀는 편안한 얼굴이었다.

"네?"

"정말……. 숨이 멎을 정도로 아름다웠어요."

내 말에 그녀는 대답 대신, 수줍게 고개를 숙였다.

"한복 어때요? 예쁘죠?"

"네, 착용감도 너무 좋고, 부드러워요."

한 여사를 돌아보며, 다시 고개를 숙였다.

"감사해요, 선생님. 이런 옷을 입게 해주셔서."

"아니, 아니. 내가 오히려 영광이지. 내 옷이 살아 움직이는 느낌이었어요."

한 여사가 손사래를 치며 함박웃음을 지었다.

"한복 모델을 해줬으면 하는데, 현주 씨 생각은 어때요?"

현주는 엄마의 반대가 염려되었음인가?

그쪽을 힐끗 보고는 '픽' 웃음을 지었다.

그녀는 고개를 연신 끄덕이고 있었다.

'무조건 한다고 해. 무조건!'

그녀가 성훈을 보며 말했다.

"할게요. 모델."

한 여사를 돌아보며 말했다.

"선생님, 현주 씨는 모델을 하고 싶다는데, 선생님은 생각이 어떠세요."

이미 대답은 정해져 있었다.

그녀의 얼굴이 대답을 하고 있었으니까.

"좋아요. 더할 나위 없이 좋아요."

한 여사에게 물었다.

"선생님, 현주 씨를 모델로 해서 어떤 작업을 할지 생각해두신 게 있나요?"

그 질문에 한 여사는 난감한 표정을 지었다.

"모델을 쓰는 것도 방금 정해졌는데…… 어떻게…….

여기서 런웨이를 만들 수는 없었다.

그녀만을 위한 공간이 아니었으니까.

'만든다고 한들, 박람회 며칠 내내, 한복 입고 워킹만 할 건가?'

그게 가장 난감하리라 예상했다.

'그럼 워킹을 안 할 때는 사람들은 마네킹만 바라보고 있어야 한다고, 그것도 아니라면 모델들을 마네킹처럼 세워두든지.'

어떤 선택을 하든, 좋은 결과를 바라기 어려웠다.

그리고 무엇보다…….

'현주의 춤사위를 안 봤다면 몰라도, 이미 본 이상 다른 선택을 한다는 건, 절대 불가능하다고.'

눈높이가 높아지면, 저품질의 작품은 트럭으로 갖다 줘도 보기 싫은 법이다.

'현주를 끌어들인 건, 선택의 폭을 좁히는 게 목적이었거든.'

스스로 생각해 둔 방법이 없다면, 다른 사람의 머리라도 빌리는 수밖에.

나도 모르게 웃음이 번져 나왔던 모양이다.

현주가 내게 물었다.

"성훈 씨, 좋은 생각이라도 떠올랐어요?"

뜨끔해서 표정을 풀었다.

나한테만 좋은 생각이었지만, 다행히 다른 사람들도 좋은 쪽으로 해석을 한 모양이었다.

한 여사도 눈웃음을 짓고 있었으니까.

눈썹을 으쓱하며 대답했다.

"뭐. 그냥저냥 생각나는 건 있어."

한 여사가 어깨를 내밀며 내게 물었다.

"성훈 군, 어떤 방법인지 물어봐도 될까?"

'당연히 물어보셔야죠. 내 시나리오대로 가려면 말이죠.'

내가 너무 속이 시커먼 건가? 하는 생각도 들었지만, 그래도 어쩌겠는가?

'남 좋은 일만 하고 끝낼 수는 없잖아! 서로 윈윈해야지.'

"현주 씨와 한 선생님의 한복을 보니, 자연히 생각이 떠오르던데요. 한번 들어보실래요?"

이제 해줄 수 있는 건 다 해줬다.

'그럼 이제 나도 뭔가를 챙겨야 하지 않겠어.'

"모델들로 할 수 있는 모든 걸 생각을 해 봤어요. 그런데 일반적인 패션쇼와는 달라서, 무리가 따르더라고요."

내 말에 사람들이 고개를 끄덕였다.

"일단 자연스럽게 사람들과 계속 어울릴 수 있는 상황을 만들어야 해요."

하릴없이 멍하게 서 있는 것보다 어색한 게 또 있을까?

한 여사도 내 말에 동의했다.

"그렇지. 맞아."

"하지만 한복점에서 할 수 있는 게 별로 없죠."

스스로 입고 있는 한복을 소개할까? 판매원처럼!

이건 어떤 비단이고, 염색과 재단을 어떻게 했으며, 어떨 때 입는 옷이라고 설명해?

'목적 없이 움직인다면, 부산스럽기만 할 뿐, 그 가치를 제대로 보일 수도 없지.'

"그래서 생각이 난 건데요. 저희와 협업을 하시면 어때요?"

"협업?"

"네. 제가 한복을 입고 설명을 하는 거죠. 그리고 자연스럽게 현주 씨도 제 옆에 서는 겁니다."

한 여사가 함박웃음을 지었다.

그녀의 머릿속에서 이미지가 그려졌을 것이다.

"어머! 남녀 커플을 말하는 거야? 그럼 더 좋지. 정말 그래 주겠어?"

서로 다른 성이기에 비교 대상이 안 될 것 같으면서도, 자연스럽게 비교가 된다.

더 중요한 건, 서로를 돋보이게 해준다는 거다.

남자의 한복은 점잖지만, 여성의 한복은 화려하고 고우니까.

남자가 있기에, 여자가 더욱 돋보이는 법.

한 여사의 호응에 슬쩍 발을 빼며, 너스레를 떨었다.

"하지만 전, 현주 씨처럼 저런 무용은 못 해요. 절대!"

한 여사가 장난스럽게, 내 팔뚝을 툭 쳤다.

"남자는 그런 거 안 해도 돼. 옆에 있어 주기만 해도 돼!"

그녀는 벌써부터 어떤 그림이 나올지를 상상하는 모습이었다.

그녀를 뒤로하고, 다른 사람의 의견을 물었다.

"현주 어머님 생각은 어떠세요?"

그녀는 내가 현주와 커플이 된다는 생각은 한 번도 해 보지 않았던 것 같다.

"응? 그게…… 말이야."

고민하는 모습이었다.

'현주는 어떻게 생각을 할까?'

그녀를 바라보니, 묘한 표정으로 나를 올려다보고 있었다.

부끄러운 건지, 민망한 건지 알 수 없는 표정.

오른 눈썹을 으쓱했다.

'어떻게 할 거야? 주체는 너라고.'

그녀가 내 마음을 눈치챘다.

"엄마!"

왜 부르냐며 눈을 마주치는 엄마에게 말했다.

"성훈 씨가 안 하면, 나도 안 할래요."

엄마의 고민은 금세 끝났다.

"어머! 내가 뭐라고 했니? 네가 모델을 할 수만 있다면, 뭐든 상관이 있겠니?"

그녀는 어색하게 웃으며 승낙을 했다.

왜 자꾸 현주를 끌어들이느냐고?

'그녀도 영어를 꽤 하거든.'

긴장해서 버벅거리는 정희보다는, 여러모로 더 효과적일 것이다.

모형의 설명이 되었든 아니면 시선 집중의 면에서든 말

이다.

"하지만 성훈 군?"

"네?"

"아까 얘기를 들어보니, 박람회 날에 엄청 바쁠 것 같던데, 시간이 되겠어?"

"시간이랄 게 있나요? 그냥 한복을 입고 움직이는 것뿐인데요."

"그렇기는 하지만."

"자연스럽게 박람회장을 거닐 수가 있죠. 하루 종일."

현주를 보며 말을 이었다.

"시간마다 아까 같은 춤을 출 겁니다. 마네킹처럼 멍하니 서 있다가 춤추러 나오는 것보다, 내 옆에 서 있는 게 훨씬 더 자연스럽지 않겠어요?"

현주가 고개를 끄덕였다.

"제 생각도 그래요. 춤추지 않을 때는 성훈 씨 옆에!"

"그, 그럴까?"

확신하지 못하는 한 여사에게 고개를 끄덕였다.

"확실해요. 한복이 눈에 띌 수밖에 없어요."

'그러고 나서는 그 시선을 몽땅 우리 모형으로 끌어올 거거든요.'

왜 시간마다 춤을 추냐고?

한복에 시선 집중이 될 수도 있는데?

166 건축의 신 11

'그건 하나만 알고, 둘을 모르는 거라고.'

당연히 그래야 한다.

하루 종일 같은 사람을 상대하는 게 아니니까.

사람들이 오갈 때마다, 한 번 물갈이가 될 때마다 춤사위로 사람들의 시선을 사로잡을 것이다.

그들의 시선을 사로잡았던, 아름다운 무용수들이 전통건축을 설명하는 남자들 옆으로 돌아오는 거지.

'그럼 사람들의 관심이 어디로 가겠어?'

하지만 한복에 관심이 집중된다는 것도 엄연한 사실이라고.

한복이 주가 되느냐, 부가 되느냐는 생각하기 나름일 뿐이다.

"우리는 한복으로 시선을 집중시킬 수 있고, 선생님은 한복의 자연스러운 태를 보일 수 있으니까, 선생님께도 좋은 선택일 거라 생각됩니다."

"음……. 맞는 말이기는 한데."

그녀가 턱에 손가락을 대며 고심했다.

'고민해 보시던가? 어차피 결론은 나와 있으니까.'

나는 당당하다.

'내가 한복 모델도 해주는데, 그 정도의 대가는 받아야 하지 않겠어!'

"현주 씨는 어떻게 생각해요? 힘들 것 같아요?"

염려와 달리, 그녀는 보조개를 띠며 말했다.

"아뇨. 전혀요. 오히려 재미있을 것 같아요."

"그리고 현주 씨."

"네?"

"과 친구들 몇 명만 더 데려올 수 있어요?"

"네. 가능해요. 그런데 왜요?"

마네킹들을 가리키며 말했다.

"저기 있는 옷을 혼자서 다 입을 수는 없잖아요. 혼자서 군무를 출 수도 없고."

"군무까지요?"

"현주 씨 하나라도 충분할 거라 생각하지만, 주변에 배경이 될 친구들이 있으면, 당신이 더 돋보이지 않겠어요?"

'이왕 이런 옷까지 입혔는데, 그냥 갈 수 있겠어? 한바탕 춤사위를 하면서 시선을 끌어야지!'

현주는 잠시 망설였지만, 이내 고개를 끄덕였다.

"알겠어요. 잘하는 애들로 골라서 올게요."

그녀가 말하는 동안, 나는 전혀 다른 생각을 하고 있었다.

'그러려면 아예 중앙 무대를 만드는 게 좋겠어. 아까 그 부장에게 말하면 되겠지?'

생각만 해도 즐거웠다.

처음 시작할 때, 군무 한 번 추고, 그 중심에 있는 현주가 나와 같이 건축 모형을 설명한다?

어디로 시선이 집중될까?

'관람객뿐만 아니라, 참가 스텝들의 영혼까지. 몽땅 내 작품으로 옮겨주지.'

현주와 대화를 나누는 사이, 한 여사의 고민도 끝났다.

"성훈 군?"

"네?"

"이미 당신 머릿속에는 어떻게 진행을 할 건지, 계획이 완벽하게 서 있는 모양이네요."

갸름한 눈으로, 나를 얄밉다는 듯 보고 웃었다.

어깨를 으쓱하며 대답했다.

"뭐. 대충은요."

"휴. 자네 머리에서 나왔으니까, 성훈 군 마음대로 해. 대신! 우리 한복도 돋보이게 해 줘야 해. 알았지?"

"당연한 말씀을 하시네요."

드디어 그녀의 승낙을 받아냈다.

이제 본론을 말해야지.

내 자리를 돌려달라고?

'그런 말을 왜 해? 난 그저 곤경에 처한 한 여사를 돕는 것뿐이라고. 자리는 덤이지.'

"그런데 선생님의 작품이 돋보이려면, 지금 있는 자리보다, 저기 맨 처음 입장하는 자리가 더 좋을 것 같아요."

"저 첫 번째 부스 말하는 거니?"

"네!"

"왜 그렇게 생각해?"

"여기에 있으면, 사람들이 들어와서 우리 모델들을 볼 때까지 기다려야 하잖아요. 임팩트가 약하다고요. 이미 다른 작품을 보느라 정신이 없을 테니까요."

단번에 시선 몰이를 하지 못하면 어수선해 보일 가능성도 있었다.

'다른 곳에 눈을 돌리기 전에, 우리 작품을 머리에 새기게 해야 한다고요.'

그만큼 내게도 그녀들의 위치는 중요했다.

한 여사도 내 의견에 동의했다.

"그렇기는 해. 여기까지 오는 동안에도 수십 개의 작품이 있을 테니까."

"처음에 빡! 임팩트 있게 시작하려면, 무엇보다 자리가 중요해요. 상황이 바뀌면, 대처도 달라야 하는 법이죠. 제가 보기엔 저 자리가 딱이에요."

"그건 나도 성훈 군의 생각에 동의하네만, 지금 와서 자리를 바꿔 달라고 할 수 있을까? 나이 든 게 염치도 없이. 이 자리도 겨우 졸라서 얻어낸 자리인데 말이야."

갈등하는 모습이었지만, 그녀의 마음은 이미 정해져 있었다.

'그럼 방법만 있다면 하겠다는 거네.'

"하실 마음이 있으시면, 그건 제가 주최 측에 말해서 바꿔 드리겠습니다."

"정말? 그게 가능해? 어머나. 이렇게 자꾸 신세를 져서 어 떡하니?"

그녀는 정말 미안한 표정을 지었다.

"아닙니다. 저야말로 선생님께 도움이 될 수 있어서, 정말 영광스럽게 생각합니다."

"이 빚을 어떻게 다 갚는담."

"나중에 우리 작품이나 보시고 꾸밀 곳이 있으면 좀 꾸며 주세요."

"그런 걸로 되겠어?"

마음의 빚은 남겨 둘수록 좋다.

'현주가 내 부탁을 들어주는 게, 내가 좋아서 그런 거겠 어? 빚 갚으려고 하는 거겠지.'

영원히 갚지 못한 마음의 빚이라면 더 좋겠지만, 그게 어 디 생각대로 되겠는가?

"성훈 군, 장가갈 때는 꼭 내게 연락 줘. 내가 세상에서 제 일 멋있는 한복을 만들어줄 테니까, 알았지?"

"네. 감사합니다. 그럼 저는 주최사무실에 다녀올 테니, 얘기들 나누고 계세요."

자리를 뜨는 내게 현주가 따라와서 물었다.

"성훈 씨, 무용수들이 그렇게 많으면 누가 성훈 씨 파트너가 되는 건가요?"

"물을 필요가 있나요? 당연히 현주 씨죠."

"정말이요?"

"네. 항상 우리는 짝꿍이었잖아요."

소개팅할 때마다 참가자들은 바뀌었시만, 주선지는 항상 나와 현주였다.

맨날 우리 둘이 짝꿍!

'마음이 안 맞아서 삐걱거리면, 그 자체로 민폐라고.'

"그럼, 현주 씨. 우리 다른 옷도 한 번 입어 볼까요? 모델이 좋으니까, 힘이 막 솟구치는걸."

한 여사도 현주도 웃으며 호응했다.

"저도 예쁜 옷을 입으니까, 날아갈 것 같아요."

하지만 이미 엄마의 관심은 한복이 아니었다.

그녀가 속닥이며 물었다.

"선생님, 성훈 군은 학생으로 보이던데, 이런 중요한 행사의 일정을 맡겨도 되는 건가요?"

안심이 되느냐는 말이었다.

한 여사는 오히려 이상하다는 눈빛이었다.

"왜 그런 말을 하죠. 성훈 군은 옆 부스의 총책임자예요.

그냥 학생이 아니죠."

현주에게 옷을 갈아입히며 말을 이었다.

"그리고 바꿔줄 자신이 있으니까, 그런 말을 한 거겠죠. 그건 금방 결과를 알 수 있을 테고."

현주 엄마가 조용히 고개를 끄덕였다.

"현주 양 모친이 보기엔 어떤지 몰라도, 나는 저런 청년을 한 번도 본 적이 없어요. 50년 가까이 일을 하면서도 말이죠."

"그럴 정도인가요?"

"나한테 딸이 있다면, 당장에라도 사위 삼고 싶구먼."

단순히 자신에게 도움이 되었기 때문에 저리 칭찬하는 것은 아니리라.

한복 치수 재는 작업이 끝나고, 성훈을 기다렸다.

"엄마, 성훈 씨. 어때 보여요?"

처음 봤을 때보다는 좀 변화가 있지 않을까? 하는 생각에 물어보는 것이었다.

하지만 그녀의 반응은 아직도 부정적이었다.

"뭐. 사람은 능력도 있고, 마음에 드는데……. 그래도 경제력이 중요한 거 아니겠니?"

"그게 무슨 상관이야?"

"적어도 우리 집하고 격은 맞아야 할 거 아니니?"

현주가 화들짝 놀라며 물었다.

"엄마는 무슨? 지금 사윗감 고르는 거야?"

"그럼 이것아. 말만 한 년이 연애할 생각이었어?"

"절대 성훈 씨 앞에서 그런 말 하지 마. 알았어?"

어디 성훈이 여자에게 눈을 돌리기나 하던가?

그동안 소개팅을 하면서, 현주라고 유혹해 보지 않았겠
는가?

현주가 작게 한숨을 내쉬었다.

'엄마가 자꾸 이러면, 있던 호감도 없어진다고.'

주최 측과의 이야기는 간단했다.

"벌써 협의를 보신 겁니까? 원래는 저희가 해드려야 하는
건데……."

"가능한 거죠? 이번에는 실수하지 말아주세요."

"그럼요. 그렇게 양보를 해주셨는데, 저희도 그 정도는 해
드려야죠."

"그리고 홀 중앙에 무대도 하나 만들어주세요. 대여섯 명
이 무용을 할 수 있는 걸로."

"무용이라고요?"

"네. 그편이 훨씬 화려하고, 박람회 분위기도 살지 않겠

어요?"

"그럼요. 두말하면 잔소리겠지요. 당장 준비하겠습니다."

확답을 듣고 사무실을 나왔다.

한 여사에게 결과를 전달하고, 성훈이 돌아왔다.

"집안에 돈만 좀 있으면, 저런 사윗감이 없는데 말이야. 쯧쯧."

"엄마! 제발 좀!"

같이 주차장으로 내려왔을 때, 엄마가 속삭였다.

"어머! 현주야. 무슨 차가 저렇게 생겼니?"

광택 나는 노란색에 검은 줄무늬.

어디에 내어놔도 눈에 띌 수밖에 없는 차!

"세상에 저런 차를 타고 다니다니. 저렇게 돈 많은 사람도 있네."

"성훈 씨 차야."

엄마의 눈이 동그래졌다.

"얼마 정도 하는 차니?"

"나도 몰라요. 그냥 외제차야. 카마로라던가? 한국에 몇 대 없어요."

"그러니, 정말?"

그들이 속삭이는 사이, 그 앞에 성훈이 섰다.

"혹시 차를 안 가져오셨으면, 제가 모셔다드렸을 텐데 아쉽네요."

"네. 저도 아쉬워요. 그럼 다음에……. 앗. 엄마!"

현주가 인사를 하다가 엄마의 엉덩이에 부딪혀 균형을 잃었다.

성훈에게 안기며 몸을 세웠지만, 깜짝 놀란 현주가 뒤돌아보며 물었다.

"엄마……. 왜 이래?"

엄마가 손으로 입을 가리며 웃었다.

"현주야, 내 정신 좀 봐. 급한 약속이 있었는데, 깜빡했네."

"약속은 무슨……."

그녀는 다급히 차를 타고, 시동을 걸었다.

"미안해요. 정말 급한 약속이라 그래요. 우리 현주 좀 부탁할게요."

영문을 모르는 성훈이 얼떨결에 말했다.

"네. 그러죠. 뭐."

"그리고 아까는 미안했어요."

"그게 무슨 말씀이신지?"

"우리 현주가 좋아한다고 착각하지 말라고 했던 거."

성훈이 빙긋 웃으며 말했다.

"하하. 그건 어머니께서 오해하신 거예요. 현주 씨가 워낙 미인이시라, 그런 걱정하시는 게 당연하죠."

"저기…… 성훈 군?"

"걱정하지 마세요. 집에 모셔다드리고 바로 울산으로 내려갈 테니까."

"꼭 그럴 게 아니라, 시간이 되면 영화도 보고……."

성훈이 단호하게 말했다.

"시간 없습니다. 다음에 기회가 된다면 하도록 하죠. 현주 씨, 타요."

현주에게 조수석 문을 열어주고 말했다.

"그럼 먼저 출발하겠습니다. 어머님."

노란색 머슬카가 순식간에 시야에서 사라졌다.

그제야 그녀의 입에서 못다 말한 속내가 튀어나왔다.

"흑심 같은 거…… 있어도 되는데……."

차를 타고 가는 내내, 사적인 대화는 없었다.

어떤 작품이 좋겠냐는 둥, 시선을 끌기 위해서는 어떤 무대를 꾸미고 싶다는 둥.

왜냐고?

'현주 어머니가 착각하지 말라고 했거든. 흥!'

당신 딸 예쁜 건 알겠지만, 그렇다고 사람을 파렴치한으로 모는 건 예의가 아니라구. 아줌마!

77장
박람회에서……

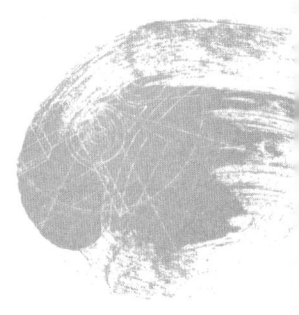

박람회 개최 전날.

현주와 후배들이 군무를 연습하고 있었다.

"얘들아! 잠깐만 쉬었다 하자."

그녀의 말에 후배들이 동작을 멈추고 이마에 흐르는 땀을 닦았다.

"미진아. 거기서 네가 너무 들어오면 모양이 흐트러지잖아. 조금만 더 옆 사람과 보조를 맞춰 줘."

"네, 알았어요. 언니."

"그리고 정숙이 넌! 자꾸 눈길이 이상한 곳으로 간다? 우리 스텝 맞추는 것도 간신히 하고 있는데, 다른 곳에 신경을 쓰면 어떡하니?"

"헤헤헤. 죄송해요. 언니."

어리광을 부리며 달라붙는 녀석들을 어떻게 혼낼 수 있으랴!

작게 한숨을 쉬며 말을 이었다.

"이제 안무가 거의 완성된 것 같으니까, 성훈 씨한테 다녀올게. 쉬는 동안 맞춰 보고 있어."

"네, 다녀오세요. 언니."

연습에 지친 여자들이 벤치에 앉아 버선발을 주물렀다.

"성훈 오빠 오랜만에 보니까, 더 터프해진 것 같지 않니?"

"미진이 너도 봤어? 어쩜. 그냥 지시하는 것뿐인데, 그렇게 멋있어도 되는 거니? 박력이……."

정숙이 엄지를 치켜세웠다.

"그러게. 가을에 봤을 때보다 더 멋있어진 것 같아."

두 명이 수다의 물꼬를 트자, 기다렸다는 듯 너도나도 입을 열었다.

"꿀꺽. 저 팔뚝 꿈틀거리는 것 봐!"

"이마에 맺힌 땀은 또 어떻고, 엄청 섹시하지 않아?"

"그치. 내가 가서 닦아주고 올까?"

그 말에 정숙이 정색을 하며 말했다.

"애! 미친 거니. 성훈 오빠는 현주 선배밖에 모르잖아."

"그러니? 그건 현주 언니 생각이고, 내가 보기엔 오빠는 별로 관심 없는 것 같던데?"

미진이 정숙의 말에 반박을 했지만, 그녀도 마땅히 반박할 말이 없었다.

"하긴……. 관심 있으면 저렇게 무덤덤할 수가 없지."

정숙이 미진의 옆구리를 쿡 찔렀다.

"넌 민수 오빠랑 사귄다면서, 성훈 오빠한테 눈은 왜 돌리니?"

"물론 민수 오빠도 다정다감해서 좋지만, 성훈 오빠는 전혀 다른 매력이 있잖니? 짐승 같은…… 그런……. 아웅! 말 못 해."

"요 여우 같은 것아. 이미 민수랑 그렇고 그런 사이면서."

"에구! 그게 무슨 연애니? 맨날 전화 통화하기도 어려운데."

"그래도 일주일에 한 번은 꼬박꼬박 만난다면서?"

그 말에 미진이 울상을 지었다.

"그것도 몇 달 전 얘기야. 요즘은 제대로 만나지도 못했어."

"왜?"

"박람회 때문에 성훈 오빠한테 붙들려 가지고. 저기 안 보여. 우리 오빠 얼굴 누렇게 뜬 거?"

"그럼 네가 내려가면 되지. 그 정도 정성도 없이 무슨 연애를 하니?"

"요 계집애야. 당연히 저번 주에 갔었지."

"정말? 혼자서 순진한 척은 다하더니."

정숙이 눈을 동그랗게 뜨며 말을 이었다.

연애 초반이고, 거기다 찾아간 여자의 정성이 있는데, 설마 그냥 보내기야 했겠는가?

"그래서 어떻게 되었는데?"

"만난 지 삼십 분도 안 돼서…….."

"어머! 삼십 분도 안 돼서? 이런 짐승! 민수 오빠가 그런 면이 있다니? 그래서 어떻게 됐는데?"

여성이 꿈꾸는 로맨스, 그 이상의 야릇함을 상상하는 것이리라!

귀를 쫑긋하는 정숙을 보며, 미진이 피식 웃었다.

그녀는 정숙의 어깨에 얼굴을 기댔다.

"이렇게 기대서 말이야."

"응! 기대서…….."

상기된 얼굴로 미진의 다음 말을 기다렸다.

두근! 두근! 꿀꺽!

'귓볼에 키스라도 한 건가? 꺅!'

"쿨. 쿨. 자더라."

정숙이 짜증을 내며, 미진을 어깨로 밀쳐냈다.

"그게 뭐니? 서울에서 내려간 사람한테."

"그러게 말이야. 그뿐인 줄 아니? 침까지 흘리더라. 상상이 되니?"

저 바른 생활 사나이가 입을 헤 벌리고 침을 흘렸단다.

"하긴 민수 오빠가 그랬다니까, 도저히 상상이 안 되네."

"그렇지? 얼마나 성훈 선배가 일을 빡세게 시키는지 말도 못한대."

"넌 네 낭군님을 그렇게 괴롭히는데, 성훈 오빠한테 눈이 가니?"

미진이 검지를 올리고 좌우로 흔들었다.

"흥. 이거랑 그거는 다른 이야기라고요."

"근데 미진아. 민수 오빠가 뭐래니?"

"뭘 말이니?"

"성훈 오빠가 현주 언니한테 관심이 있는 것 같대?"

"글쎄. 그러고 보니, 한 번도 성훈 오빠가 현주 언니 얘기하는 건 못 들었다던데?"

"그럼 진짜로 현주 언니 혼자서 짝사랑하는 거야?"

다른 무용수들도 그들의 대화에 끼어들었다.

"설마……. 현주 언니가 어떤 사람인데! 언니 얼굴 한 번 보려고 대학 앞에 남자들이 줄을 서서 기다린다고. 몰라?"

한 여자가 성훈 쪽을 가리키며 소리쳤다.

"현주 언니가 성훈 오빠 옆에 바짝 붙어 있어. 팔짱이라도 끼려나 봐! 그 청순한 현주 언니가. 세상에."

현주의 적극적인 대시!

남녀 사이에, 그게 그렇게 놀랄 일인가?

하지만 그녀들의 확장된 눈망울이 '이건 보통 사건이 아니다!'라고 말하고 있었다.

하지만 이내 안타깝게 고개를 저었다.

"쯧쯧. 안타깝지만 저것도 성훈 오빠한테는 안 통하나

보다. 돌아보지도 않잖아."

"그러게. 언니만 불쌍하게 됐네."

"매번 쉬는 시간마다 성훈 오빠 옆에 붙어 있는 것 같은데? 현주 언니가 지금까지 남자한테 저렇게 강하게 어필한 적 있었나?"

그녀들은 안타까운 마음에 한숨을 내쉬었다.

"어쩜 저렇게 목석같을까? 둘 다! 나 같으면 그냥! 어휴!"

"아쉬우면 네가 해보지 그러니?"

"미쳤니. 현주 언니도 안 되는데, 나 따위가 언감생심!"

"알면 애초에 꿈 깨. 이것아."

서로 토닥거리며, 수위 높은 농담을 주고받았다.

화장실에서 돌아오던 현주는 후배들의 농담에 살짝 미간을 찌푸렸다.

'이래서 내가 처음에 망설였던 거라고.'

이런 일밖에 모르는 남자가 뭐가 멋있느냐고?

성훈의 본모습을 본 사람들은 아무도 그런 말을 하지 못할 것이다.

본신의 능력, 재력, 머리, 카리스마.

현주가 보기에는 어느 것 하나 딸리는 것이 없는 남자였다.

'아니, 비교할 만한 남자가 있기나 하려나?'

그걸 알기에 여기 있는 후배들도 모두 성훈에게 관심이 쏠리는 것이고.

'천상천하 유아독존!'

그 말은 성훈 씨를 위해 존재하는 건지도 몰라.

'지금 봐도 그렇잖아.'

성훈이 일에 임할 때는 성별이나 지위 고하가 의미가 없다.

그의 말 한마디, 손짓 하나에 팀 전체가 한 몸인 것처럼 움직인다.

'거기다가 또 얼마나 듬직하다고.'

처음 과에서 소개팅을 제안했을 때, 아무도 관심이 없었다.

'언니! 아무리 그래도 지방 삼류대, 그것도 건축과는 너무 심하지 않아요?'

하지만 지금은 다르다.

서로 나가겠다고 치열하게 경쟁할 정도였다.

'그게 다, 성훈이라는 사람 때문이라고.'

하지만 그녀의 문제는 다른 곳에 있었다.

'이렇게 인기가 많은데, 성훈 씨는 이런 사실을 전혀 모른다고.'

또 모르지. 여자에 관심이 없는지도.

"지금 내가 이럴 때가 아니지. 좀 더 맞춰 보고 성훈 씨한테 확인받아야지."

"어때요, 성훈 씨?"

성훈이 호흡을 정리하는 무용수들과 일일이 눈을 맞췄다.

"수고하셨어요. 정말 제가 기대하던 것 이상이네요."

미진이 말했다.

"저희가 뭐 한 게 있나요. 현주 언니가 고생이 많았죠. 성훈 오빠도 언니 공을 잊지 마세요."

"그럼요. 당연히 잊지 않죠."

"그럼 이거 끝나고 언니랑 영화 보러 가는 거 어때요?"

성훈이 시큰둥하게 말했다.

"그러죠. 뭐. 그걸로 되겠어요? 현주 씨?"

현주가 볼을 상기한 채, 아무 말도 못 했다.

'으이그, 숙맥 같으니라고.'

보다 못한 미진이 나섰다.

"오빠! 영화 보란다고 영화만 볼 거예요? 레스토랑 가서 식사도 하고, 드라이브도 하고, 미사리 쪽에 좋은 카페 많은데, 알려드려요? 네?"

"알겠어요. 그렇게 하도록 하죠."

성훈이 돌아서며 말했다.

"현주 씨, 수고했어요. 좀 쉬고 있어요. 그럼."

성훈이 다시 모형 쪽으로 발걸음을 돌렸다.

"열두 시까지 작업을 마쳐야 한다고. 시간이 넉넉하지 않다고!"

손뼉을 치면서 동료들을 격려했다.

"기계과! 목 관절이랑 팔목 관절들 모두 제대로 조절했어? 아까 보니까, 어깨 올라갈 때 흔들리던데?"

"네, 선배님. 어제 어깨와 팔꿈치 약간만 조절하면 됩니다."

"한 시간 뒤에 점검하러 올 테니까, 그때까지 완료해 놓도록. 더 이상 결함을 찾을 수 없을 때까지 계속한다!"

다른 쪽을 보며 말을 이었다.

"전자과는? 광원 조절 다 끝났어? 부재를 지적한 곳에 초점이 정확히 안 맞으면 어떡해?"

"죄송합니다. 포인터로 거리 계산 후에 초점을 맞춰야 하는데, 아직 각 부의 오차도 있고, 조도도 학교랑 달라서……."

성훈이 고함을 쳤다.

"무슨 말인지 모르겠어! 언제까지 끝나는지만 말해!"

그들의 전문 영역을 알 리가 없지 않나?

설명할 시간이 있으면, 그 시간에 수정하는 게 이득이었다.

하나부터 열까지 어느 한 가지라도 완벽하지 않으면 안 된다.

"이건 실수해도, '학생들이니, 그럴 수도 있지!' 하고 너그럽게 넘어가는 학예회가 아니라고."

학생이라고 프로들보다 못할 이유가 어디 있는가?

'학생이라는 게, 변명의 이유가 될 수는 없지.'

"자자! 거기 승범이 팀 작업 끝났으면, 바로 보람이 팀으로 붙어. 얼른. 발이 보인다!"

"그리고 기계과에서는 인형 장비들 다시 정리해라. 새로 들어온 옷들 다 갈아입히고. 얼른."

미진이 그 모습을 보며, 한숨을 내쉬었다.

"으이그. 성훈 오빠는 여자 마음을 너무 모른다니까요. 이러다 다른 남자가 현주 언니를 채가면 어쩌려고."

현주가 붉게 상기된 얼굴로 타박했다.

"얘! 미진아. 너는……."

하지만 미진은 오히려 미소를 띠며 현주를 찔렀다.

"잘했죠, 언니?"

"몰라! 얘!"

현주도 성훈이 있는 쪽으로 발걸음을 돌렸다.

"난 모형 설명 들어야 하니까. 부족한 부분들 더 맞춰 보고 있어."

"저러니까, 성훈 오빠가 꿈쩍도 안 하는 거지. 밀당을 몰라요. 밀당을. 쯧쯧!"

내일 아침 9시에 오픈을 하지만, 진열 작업은 늦어도 밤 12시까지 끝나야 한다.

그 뒤에는 회장의 정리와 개최 측의 준비 작업이 진행될 계획이었다.

각자의 동선이 꼬여서는 어떤 것도 마무리가 어려울 것이라 판단한 주최 측의 계획이었다.

지금은 오후 5시.

"휴!"

그저 모형만 진열하는 거라면 쉬웠겠지만, 우리가 만든 게 어디 그런 단순한 작품이던가?

나름 손이 많이 간 작품들이라서, 그 설치에도 공을 들여야 했다.

전화벨이 울렸다.

'어디지. 모르는 번호인데.'

받지 말까?

오전부터 전화가 불이 났었다.

'첫 번째는 압둘이었지.'

-성훈. 마이 프렌드!

다른 사람에게나 왕자지, 내게는 친구였다.

"왜요? 압둘! 바빠 죽겠는데?"

-아무리 바빠도 사람이 쉬면서 일을 해야지. 샤롯데 호텔 스위트룸에 있으니까, 놀러 와!

'흥. 갑부라 이거냐?'

샤롯데 호텔 스위트룸이라.

하루 숙박비가 천만 원은 훌쩍 넘어가는 곳이다.

'돈이 썩어 남아도, 내 돈으로는 못 갈 텐데.'

왜냐고?

자기 손으로 직접 돈을 만질 일이 없는, 압둘 같은 사람이나 묵을 수 있는 곳이니까.

하여간 압둘 이후로 몇 번이나 비슷한 전화를 받았는지 모른다.

알리, 마이어, 코펠, 프랭크 등등.

내가 아는 인맥들에게는 다 연락이 된 모양이었다.

'한 교수가 장난을 친 거겠지. 그럼 이건 박람회 관련이겠군. 휴!'

이제 전화 올 인간들은 다 왔으니까!

수화기를 열었다.

"여보세요?"

-성훈?

살짝 떨리는 듯한 프랑스 억양의 독일어, 그리고 여자!

내게 그 조건이 맞는 사람은 하나뿐이었다.

"소피?"

-잊지 않았네. 성훈…… 잘 지냈어요?

"응. 잘 지내고 있지. 어떻게 지냈어?"

-나도 잘 지냈어요. 그런데 나 지금 한국에 가요.

"어! 그래? 무슨 일로?"

-아빠 회사가 한국에 지사를 만들었어요. 거기 일 보러 가는 거예요.

'벌써 지사를 만들었다고? 그 회사가 한국에 들어오는 것은 몇 년 뒤로 알고 있었는데.'

내가 알고 있는 미래는 계속 변하고 있었다.

-나 지금 한국으로 출발해요. 만나고 싶어요. 찾아가도 되나요?

그녀의 목소리가 떨렸다.

못 찾아올 이유가 뭐 있어?

"나야 환영하지. 얼마든지."

-그럼! 울산으로 가면 되는 건가요?

왜인지 살짝 들뜬 목소리였다.

"아니! 서울 종로로 와. 며칠 동안은 여기 있을 것 같으니까."

-내일 봐요. 성훈.

"그래. 조심해서 오고."

오랜 친구와 통화가 끝났다.

'벌써 내가 아는 것과 이렇게 달라지다니!'

하지만 걱정하지는 않았다.

알고 있던 미래가 조금 변한다고 해서, 내 인생이 달라지지는 않을 테니까!

'뭐! 마음에 안 드는 미래라면 뒤집어엎어 버리지.'

말도 안 되는 생각에 웃음이 픽 났다.

'그리고 소피는 또 얼마나 예뻐졌을까?'

작년 겨울에 있었던, 꿈같은 여행을 내 인생에서 다시 할 수 있을까?

나도 모르게 바닥에 앉아서 통화를 했던 모양이다.

엉덩이를 털며 자리에서 일어섰다.

'과거는 과거, 미래는 미래!'

지금은 현실의 문제를 해결해야 할 시간이었다.

통화를 마치고 돌아서자, 현주가 있었다.

연습을 마치고, 바로 온 모양이인지, 이마에 땀방울이 살포시 맺혀 있었다.

"어쩐 일이에요?"

그녀는 밝은 목소리로 어깨를 으쓱했다.

"건축물 설명을 더 듣고 싶어서요."

"아. 맞다. 설명해 주기로 했었지."

"그런데, 독일에도 친구분이 있으신가 봐요."

"아! 네. 독일에 갔을 때, 알게 된 친구예요."

성훈의 대수롭지 않은 대답에 그녀는 눈을 가늘게 뜨며 장난스럽게 물었다.

"정말요? 여자 목소리 같던데?"

"응. 맞아요. 여자애."

몇 살이냐? 예쁘냐? 마음이 있느냐?

묻고 싶은 게 한두 가지가 아니었다.

다만 망설이고 있는 건, 질투로 보일까 오해를 사는 것이 두렵기 때문이었다.

'어떻게 물어봐야, 티가 나지 않을까?'

고민하고 있을 때, 한 여사의 목소리가 들렸다.

"성훈 군, 한복 기장 다 맞췄으니까, 얼른 와서 입어봐!"

이때만큼은 한 여사가, 그렇게 미울 수가 없었다.

'아이참! 좀 더 물어볼 게 남았는데.'

"네. 선생님. 현주 씨, 이따 봐요! 마무리 잘하고."

성훈이 큰 소리로 대답하며, 걸음을 서둘렀다.

사라지는 성훈을 보며 그녀는 묘한 느낌이 들었다.

'정말 그 여자에게 관심이 없는 거야? 아님, 일부러 말을 돌리는 거야?'

아까 성훈의 뒤에서 관심 없는 척하며 귀를 기울여 봤지만, 한 마디도 알아들을 수 없었다.

애초에 독일어를 모르는 이상에야!

성훈과 여러 번의 만남을 통해서, 그가 외국에 자주 나갔던 사실도 알고 있었다.

하지만 성훈의 입에서 여자에 대한 이야기가 나온 적은 단 한 번도 없었다.

'아니, 아예 여자에게 관심이 없는 것 같았다고. 그리고 웬만한 여자로는 저 남자의 관심을 끄는 것도 어려울 거야.'

참. 별생각을 다 한다고 하면서, 스스로의 머리를 쥐어박았다.

성훈의 무관심이 멀리 떨어져 있으면서도, 크게 불안하지 않았던 이유였는데, 그걸 잊고 있었다.

지금껏 몇 번이나 그에게 매력을 어필했지만, 그는 한 번도 이성으로서의 관심을 보이지 않았다.

'하지만 춤출 때는 다르다고.'

생긴 거나 하는 짓은 상남자면서도, 아름다운 것이 있으면 '팍' 눈이 꽂히는 성훈이 아니던가?

아쉽게도 성훈이 자신을 바라보는 것이 바로 그것이었다.

꽃이 아름답다고, 욕망을 느끼지는 않는 것처럼.

그랬던 그녀에게 매력을 어필할 기회가 생겼다.

'그래서 모델을 요청했을 때, 두말없이 승낙했던 거란 말이야.'

성훈의 성격상, 자존심 죽여 가며 두 번이나 부탁한다는 건 생각할 수도 없는 일이었고.

자존심을 세우겠다고 금쪽같은 기회를 버릴 수는 없었다.

'그런데 설마…… 외국에 여자가 있었다니.'

성훈의 눈에 들 정도의 여자라면, 그저 평범하지는 않을 것이다.

이건 예상치 못한 복병이었다.

성훈의 말대로 그냥 친구이기만을 빌었다.

'그녀가 누구든 상관없어! 친구로 지내는 사이에 내가 먼저 친해지면 되지 뭐.'

뒤에서 등을 치는 탓에 상념에서 깨어났다.

"현주야, 넌 젊은 애가 세상 고민 다 가진 얼굴을 하고 있어? 고민이 있으면 엄마에게 말하라고 했잖니?"

"엄마! 깜짝 놀랐잖아!"

그녀가 얼마나 애간장이 녹는지도 모르면서, 엄마는 성훈의 뒷모습을 보며 감탄을 토했다.

"어쩜 성훈 군은 저렇게 외국말을 잘하니? 대체 못 하는 게 뭐야!"

'엄마가 알면, 오히려 내 머리만 더 아플 거야.'

왜냐고?

엄마 성격이면, 분명히 더 가까워지라고 설레발을 칠 거니까.

아무리 '성훈 씨 취향은 그런 게 아니니까, 억지로 다가가면 안 돼!'라고 말해도 막무가내였다.

'맹추야! 열 번 찍어서 안 넘어가면, 스무 번이라도 찍어! 이것아!'

'성훈 씨가 나무야?'

이 말에 엄마는 이렇게 대답했었지.

'그 정도 목석이면, 나무라고 불러주는 것도 고마운 줄 알아야지. 너같이 예쁜 애가 세상에 또 어디 있다고!'

이럴 게 뻔한데, 무슨 얘기를 하겠는가?

'미현이 오늘 밤에 온다고 했지? 의논을 해 봐야겠어. 휴!'

그렇게 두근거리는 밤이 지나갔다.

박람회장 별관, 집행위원회 사무소.

문화부 차관이 두루마리를 폈다.

"한국을 사랑해 주시는 각 대사관 직원 여러분. 귀국의 관심에 감사하오며……."

그는 잠시 내용을 눈으로 훑어보고는, 두루마리를 도로 말았다.

"이 개회사만 읽어주면 되는 건가?"

"네. 그렇습니다. 차관님. 바쁘실 텐데, 이렇게 자리를 빛내주셔서 정말 감사합니다."

문화부 장관이 바쁜 관계로, 개회사를 그가 대신하게 되었다.

"우리하고는 상관없지만, 그래도 외교부에서 신경 쓰는 사람들이니, 대충 그들이 기분 상하지 않는 선에서만 대응하면 됩니다."

"네? 하지만……."

"그냥 내 말대로 하시오. 얼른 끝내 버립시다. 언제까지 이런 일로 신경을 써야 하는 거요!"

그 말을 끝으로 집행위원들이 각자의 자리로 돌아갔다.

아무도 없음을 확인하고는, 소파에 앉으며 투덜거렸다.

"외교부 이것들, 너무 하는 거 아니야?"

대사관 직원들이면, 외교부에서 알아서 행사를 챙기면 되는 것이지, 굳이 이렇게 문화부까지 끌어들여서 귀찮게 하는 것이 불만의 이유였다.

'얼른 장관이 되든지 해야지. 언제까지 이런 잡스러운 일을 할 거야!'

이미 그의 머릿속은 그의 사무실로 돌아가 해야 할 일로 가득 차 있었다.

그때 직원 하나가 급히 문을 열었다.

"뭔가? 노크도 없이!"

"죄송합니다. 그게…… 쿠웨이트 왕자가 온답니다."

"그게 왜? 우리랑 무슨 상관이 있어? 외교부에 연락하면 되잖아."

"아니. 그게 아니라, 여기 박람회에 온답니다."

"뭐, 뭐야?"

차관이 소파에서 벌떡 일어났다.

"쿠웨이트 왕자가 왜? 누구라던데?"

"압둘 왕자라고 합니다."

"아! 최근에 쿠웨이트 왕에게 총애를 한 몸에 받는다는 그 압둘?"

"네. 맞습니다."

차관은 깜짝 놀라며 물었다.

"그런 일은 외교부에서 미리 연락을 줘야지!"

"일정에 없던 일이라, 외교부에서도 방금 알았다고 합니다."

"도착 시간이 언제래?"

"바로 옆의 샤롯데 호텔에 묵고 있다고 하니, 금방 도착할 것 같습니다."

"왜 그렇게 빨리 오는 거야? 오픈 시간까지 아직 30분이나 남았구먼!"

"차관님, 지금 그걸 따질 때가……."

"그렇지! 이리 한가하게 앉아 있을 때가 아니지. 나가세나! 박람회장 참가자들이고 직원들이고 몽땅 나오라고 하고!"

"참가자들까지요?"

"어허! 왕자란 말이야 왕자!"

혹시라도 그의 비위가 상해서 불편함을 느끼게 한다면, 국제적인 문제가 될 것이고, 그건 곧 자신의 인사고과에서 오점이 될 것임이 분명했다.

잰걸음으로 걸어가며 중얼거렸다.

"왜 갑자기 왕자가 찾아오는 거야? 자기네 대사관 직원들 위로라도 하려는 거야, 뭐야?"

"밤새 기다렸단 말일세. 성훈!"

압둘이 근엄한 얼굴로 성훈을 꾸짖었다.

아무리 근엄한 척을 해도, 압둘은 압둘이다.

카미가 넘어질까 봐, 허둥거리던 그 압둘.

성훈이 입술을 씰룩이며, 되레 그를 타박했다.

"간다고 말한 적도 없는데, 누가 기다리랬어요?"

"큼큼. 그래도 오라고 말했으면, 한번 들러주는 게 예의 아닌가?"

"그런 하소연은 곽 이사한테나 해요. 내가 불렀어요? 그 사람이 불렀지!"

"그래도 자네를 보러 멀리서 힘들게 온 사람한테……."

'흥. 힘들기는, 최고급 호텔에서 잘만 잤구만, 저 얼굴에 기름기 흐르는 거 봐라.'

"걸리적거려요. 저리 가요. 바쁜 거 안 보여요?"

"어흠. 그러지 말고, 나랑 차나 한잔하면서……."

귀찮은 날파리는 상대해 주지 않는 게 최고였다.

차관이 도착했을 때, 압둘은 이미 성훈의 옆에 붙어서 이야기를 나누고 있었다.

"왜 나를 안 기다리시고!"

"그게…… 쿠웨이트 대사관 직원들이 몰려나와서 모시고 들어갔습니다."

"그…… 그런가?"

자기네 나라 왕자를 데리고 들어갔다는데, 더 무슨 말을 할 것인가?

오히려 기다리고 있었으면, 더 난감한 상황이 발생했으리라.

그런데 모시고 들어갔으면, 귀빈실로 들어가는 것이 마땅하지 않은가?

하지만 수행원들이 우르르 박람회장에 몰려 있는 것으로 보아, 저곳에 왕자가 있음이 분명했다.

"왕자는 저기 계신 건가?"

"네. 귀빈실로 가지 않고, 바로 저리로 갔다 합니다."

"그래?"

어느 나라를 가든, 그 행보를 주목받을 수밖에 없는 압둘 왕자였다.

그 왕족들의 기분에 따라 원유 가격이 널뛰듯 뛰었으니까.

"그런 인물이 왜 뜬금없이 여길 온 거지?"

도저히 생각을 정리할 수 없었다.

이유가 뭐가 되었든, 그는 국제적 인물이었다.

"인사를 드리겠다고 하게!"

잠시 후 그의 부하가 돌아왔다.

"차관님, 그게…… 지금은 사적인 용무 중이시라 시간을 내줄 수가 없으니, 양해를 바란답니다."

"뭐야?"

'제 놈이 왕자면 왕자지, 여기는 한국 땅이라고.'

"흥. 장관도 아닌 차관 따위에게 내줄 시간은 없다, 그런 의미인가? 불쾌하군!"

무엇보다 저기서 새파란 어린놈이랑 얘기하고 있는 게 뻔히 보이는데, 뭣이라! 시간이 없어?'

부하가 차관을 달랬다.

"거침없는 행보로 쿠웨이트의 정치를 주관하는 인물입니다. 괜히 일을 만들었다가는…….'"

"알고 있네. 왕자와 얘기하고 있는 건 누군가? 우리나라 사람으로 보이는데, 혹시 아는가?"

"U대학의 학생이라고 합니다."

"학생? U대학? 울산에 있는 그거?"

"네. 그렇습니다."

"영문을 알 수 없구먼. 왜 저런 사람과……."

"외교부에서 알아서 하지 않겠습니까?"

"그래. 우리는 우리 할 일만 하면 되는 거지."

차관이 불쾌한 얼굴로 발걸음을 돌렸다.

"얼른 개회사나 끝내고 관저로 돌아가야겠군."

개회식은 홀에서 치러졌다.

차관이 단상에서 개회사를 읽었다.

"한국을 사랑해 주시는…… 관심에 감사……."

클래식 음악이 잔잔히 깔리고, 간간히 대사관들의 눈인사도 오갔다.

'그래서 카미가 말이야……' 하는 말만 아니었다면 최고의 개회사가 되었을 것이다.

'정말 에티켓이 없는 놈이야. 제 놈이 왕자면 왕자지, 어디서…….'

대사관 직원들은 한국의 예의를 아는지라, 개회사에 집중하는 척이라도 하고 있었지만, 압둘은 예외였다.

조용히 하라는 젊은 녀석의 타박에도 불구하고 무언가를 계속 얘기하고 있었다.

'똥이 무서워서 피하냐, 더러워서 피하지.'

빨리 읽고 이 자리를 피하고 싶을 뿐이었다.

단상에 머리를 박았다.

개회사의 중반쯤 읽었을까?

시원한 바람이 불어와, 훈훈한 공기를 밀어냈다.

'누가 왔나?'

현관문 앞에는 금발의 여인이 허리를 숙인 채, 무릎을 짚고 가쁜 숨을 몰아쉬고 있었다.

가녀린 어깨가 들썩이는 것으로 보아, 계단을 급히 뛰어 올라온 모양이었다.

'저 사람도 외교관 자녀인가? 늦었나 보군.'

다시 개회사로 눈을 돌렸다.

"그리하여 귀국에서는⋯⋯."

이질적인 감각에 다시 고개를 들었다.

'역시!'

모든 사람의 눈이 한곳에 못 박힌 듯, 아까의 여성에게서 눈을 떼지 못하고 있었다.

'시작부터 예감이 좋지 않더라니. 개회사는 텄네. 텄어! 쯧쯔⋯⋯.'

이제야 숨을 고른 것인가?

그녀는 허리를 펴고, 고개를 들었다.

등에서 흘러내리던 금발은 그녀의 손짓에 목 뒤로 되넘어가고, 얼굴이 드러났다.

쿵!

심장이 멈춘다는 게 이런 건가?

화려한 복장도 아니었다.

그저 연분홍 실크셔츠, 스키니 진, 그 위에 빨강색 점퍼.

하지만 여기 있는 어떤 여인보다 아름다웠다.

코발트블루의 선명한 눈동자가!

생기발랄한 다홍색의 입술이!

잡티 하나 찾을 수 없는 새하얀 이마가!

방금 그려 넣은 듯한 금빛의 눈썹이!

시원하게 내려오는 오뚝한 콧날이!

허리까지 내려오는 금빛 물결이!

아니…… 살면서 본 여자 중에 가장 아름다웠다.

모두 호흡을 멈추고, 그녀를 바라보고 있었다.

'누구지?'

'뭐하는 사람이지?'

코발트빛의 푸른 눈동자가 홀을 훑었다.

차관의 단상에서부터 천천히…….

이 순간 모든 이의 궁금증은 하나밖에 없었다.

'누군가를 찾는 모양이군. 누구지? 남자일까?'

사람들의 시선이 그녀의 눈길을 따라갔다.

눈동자가 압둘 왕자가 있는 곳에 다다랐을 때, 그녀의 눈에 광채가 뿜어져 나오는 듯했다.

'혹시? 압둘 왕자?'

'숨겨둔 애인인가? 저렇게 부자라면 가능할지도.'

앵두처럼 빛나는 입술이 서서히 열린다.

그녀의 입 모양을 따라 했다.

'서…… 엉…… 훈…… 엥!'

사람들이 경악했다.

그를 모르는 사람은 이름의 주인공이 압둘이 아니라는 것에…….

그를 아는 사람은 또 다른 의미로.

압둘이 벌떡 일어섰다.

성훈이 압둘을 올려다보며 말했다.

"일어서서 뭐하는 거예요? 압둘!"

압둘이 말했다.

"성훈! 아는 여자인가?"

"네?"

성훈이 뒤를 돌아보았다.

"어떻게 사람이 저렇게……."

"어쩜. 정말."

"천사 같아!"

"아니지. 여신이지. 여신!"

같은 여성임에도, 감탄할 수밖에 없는 미모.

정체를 알 수 없는 여성의 등장에 장내가 술렁거렸다.

물론, 그녀의 정체를 짐작한 사람도 있었다.

"현주야! 방금 성훈이라고 하지 않았니?"

미현의 말에 현주가 멍하니 고개를 끄덕였다.

어떻게 입 모양만으로 그녀 말을 알아들었을까?

고함을 친 것도 아닌데 말이다.

"성훈 씨는 그냥 친구라고 했는데?"

"요 맹추야. 그 말을 믿었니?"

현주가 눈을 껌뻑거리며 말을 더듬거렸다.

"서, 성훈 씨가 거짓말을 할 사람은 아니잖아."

"성훈 씨는 관심이 없어도, 저 여자는 아닐 수도 있잖아."

"저렇게 예쁜 여자가 왜 성훈……."

평생을 소꿉친구로 살아오면서, 현주의 이렇게 넋 나간 모습을 본 적이 있었던가?

현주의 옆구리를 꼬집으며 귓속말을 했다.

"그래! 성훈 씨니까, 가능한 거지!"

아마 현주는 지금의 현실을 인정할 수 없으리라.

미현이 속으로 한숨을 쉬었다.

'그래. 나라도 그럴 거야! 내 남자 주변에 저런 여자가

있다고 한다면.'

여자인 자신이 보기에도 넋이 나갈 정도의 미녀인데, 남자들이 보기에는 어떨까?

굳이 확인해 볼 필요도 없었다.

여기 있는 모든 남자의 반응이 한결같았으니까.

말 한마디 못 하고 숨을 죽이고 있었다.

침도 삼키지 못한 채!

'허 참! 어이가 없어서······. 어떻게 이런 반응을 보일 수가 있지?'

한결같은 반응.

꿀 먹은 벙어리들의 모임!

"하지만 친구일 거야. 난 성훈 씨를 믿어!"

그제야 제정신이 든 듯, 현주가 말했다. 하지만 미현이 보기에는 현실도피, 그 이상도 이하도 아니었다.

"정신 차려, 현주, 이 계집애야!"

"저렇게 예쁜 여자가!"

"그냥 친구를 만나고 싶어서!"

"이역만리 독일에서 혼자서 비행기를 타고 온다고? 정말 그렇게 생각해? 너 같으면 그러겠어?"

미현은 현주의 귀에 대고 마음에도 없는 쓴소리를 했건만, 그래도 어쩌겠는가?

'할 수 있는 게 없잖아!'

그저 발만 동동 구를 뿐이었다.

아는 사람이냐는 압둘의 말에 성훈이 뒤돌아섰다.

누구를 보고 말하는 것인지는 한눈에 알 수 있었다.

현관문에 서 있는 미녀가 장내의 시선을 사로잡고 있었다.

고개를 갸웃하며 말했다.

"소피?"

만나고 싶었던 사람의 얼굴을 보아서일까?

아니면 자신을 단번에 알아봐서일까?

소피아의 상기된 얼굴에 미소가 번져갔다.

그와 같은 방향으로 고개를 갸웃하며 환하게 웃었다.

"헤에."

소피아가 그를 향해 걸어간다.

'심장아. 제발…….'

일 년 만에 재회를 하는 자리였다.

그에게 성장한 모습을 보여 주고 싶었다.

좋아한다는 말 한마디 못하고, 그를 한국으로 보낼 수밖에 없었지만, 이제는 다르다.

'이제…… 만나려고 하면, 얼마든지 만날 수 있다고.'

아무리 성훈이라고 해도, 금쪽같은 딸을 함부로 해외로 보낼 아빠가 아니었다.

그래서 떼를 썼다.

한국에 지사를 내자고.

그녀의 속셈은 그저 성훈과 가깝게 있고 싶었던 것뿐이다.

'그렇게 일 년 동안 당신을 만날 준비를 했다고요.'

그렇게 보고 싶었던 사람이 자신을 향해 미소 짓고 있었다. 일 년 전과 똑같은 모습으로.

걸어가며 크게 심호흡을 했다.

20미터, 그의 따뜻한 온기가 느껴진다.

10미터, 그에게서만 뿜어져 나오는 향기가 머리를 어지럽힌다.

잠시 걸음을 멈추고, 다시 심호흡을 했다. 당장 뛰어가서 그 품에 안기고 싶지만, 그래서는 안 된다고 스스로를 달랬다.

'여기는 한국이라고.'

물론 주변 사람들의 시선은 보이지도 않았다.

지금 소피의 눈에 보이는 건 오직 하나, 성훈뿐이었다.

심호흡이 끝나고, 다시 눈을 떴을 때.

성훈이 반갑게 웃으며 말했다.

"정말, 소피 맞아?"

그 말이 신호탄이 되었을까?

'이제 참을 수 없어!'

울 것 같은 얼굴로 메고 있던 배낭을 팽개쳤다.

"성훈!"

반가움을 토해내며, 그에게로 달렸다.

이렇게 달려올 줄은 몰랐던 모양이지?

무뚝뚝한 남자 같으니!

그의 놀란 표정이 귀엽다. 듬직하다.

그러면서도 팔을 벌려 가슴을 열어준다.

그때 그랬던 것처럼.

"어! 어!"

나를 향해 질주하는 소피를 받았다.

'그때도 이렇게 적극적이었던가?'

나에게 그녀는 엄마의 부재와 아빠와의 갈등으로 힘들어
하던 소녀였다.

그렇게 가냘파 보이던 그녀가 힘찬 걸음으로 내 품으로 달
려오고 있었다.

어찌 가슴을 빌려주지 않을 수 있는가?

내가 가장 힘들었던 시절에 위로가 되어 주었던 소녀였다.

금발을 휘날리며 달려오는 그녀를 안았다.

따뜻하게 안아주고 싶었다.

내게 등을 기댔던 그때처럼.

품에 안긴 채, 큰 숨을 몰아쉬었다.

그리고 아무 말 없이 양팔로 내 허리를 감았다.

그녀의 머리칼에서 향기가 올라온다.

'여전히 아름답네.'

그때의 그 순수한 모습 그대로 내 팔에 안겨 있었다.

그녀의 심장 박동이 내 가슴으로 전해 온다.

이번 삶으로 돌아온 후, 가장 평온했던 이국에서의 휴식이 머리에 떠올랐다.

행복, 여유, 치유 그리고 깨달음.

지금도 지치고 힘들지만, 멈춰 설 수 없기에 달려야만 하는 일상들.

'이대로 시간이 멈추었으면…….'

하지만 재회의 여운을 마냥 즐길 수는 없었다.

'아쉽지만, 이제 곧 박람회가 시작된다고.'

그녀가 나를 만나러 와준 건 충분히 고마운 일이었지만, 그녀로 인해 일에 지장을 받는다면, 만나지 않은 것만 못했다.

시간이 충분했다면, 관광지를 소개하며 가이드라도 해 주겠지만, 지금은 때가 아니었다.

무엇보다, 다른 녀석들의 시선도 소피에게 집중되어 있었다.

'이거 참! 이렇게 더 있다가는 죽도 밥도 안 되겠네. 쯧쯧.'

압둘이야 입을 벌리고 있건 말건 박람회와 아무런 상관이 없다.

하지만 팀원들이 그래서는 곤란하지!

승부가 바로 코앞이라고.

첫인상이 사람의 이미지를 결정하듯, 우리의 첫 무대가 마지막의 결과를 좌우할 것이다.

'이것들이 정신 똑바로 안 차리고.'

소피의 어깨를 살포시 밀어내자, 그녀가 얼굴을 들었다.

소피의 촉촉한 눈동자와 내 눈이 마주쳤다.

미소를 지으며, 그녀에게 말했다.

"소피, 오랜만이네. 잘 지냈지?"

환한 웃음 탓일까?

그녀의 양 볼에 귀여운 보조개가 파였다.

"네. 잘 지냈어요."

그녀가 내 어깨를 당기며, 오른뺨을 내밀었다.

볼 키스를 해달라는 말인가?

'얼른 빨리하고 끝내야지.'

어색한 동작으로 그녀에게로 고개를 숙였다.

쪽!

그리고 다시 왼쪽 뺨으로 입술을 향했다.

"어머!"

소피의 입술에서 작은 놀람이 튀어나왔다.

안 하던 일을 하다 보면 실수가 나오는 법.

'이런!'

그녀의 입술을 살짝 스쳐 지나갔던 모양이다.

발그레하던 소피의 뺨이 더 붉게 상기되었다.

'나도 어색하기는 마찬가지라고.'

뜻하지 않은 사고에, 나도 얼굴이 붉어지기는 마찬가지.

하지만 내색하지 않고, 인사를 마쳤다.

'티 내면 더 어색해질 거라고.'

소피가 머쓱했던지, 내 눈을 피해 바닥으로 시선을 내리깔았다.

'얼른 인사시키고 끝내자.'

소피를 옆에 세우고 주변을 둘러보았다.

가뜩이나 시선이 잔뜩 집중된 상태.

마른 입술을 축이는데, 달콤한 맛이 혀끝으로 전해져 왔다.

"크흠."

크게 헛기침을 하며, 손등으로 입술을 문질렀다.

'괜히 흔적이 남으면, 소피도 민망할 거야.'

그저 오랜 시간 비행하며, 나를 만나러 와준 그녀를 격려해 주고 싶었던 건데, 그게 입술 박치기로 이어질 줄이야.

아무 일 없었던 것처럼 고개를 들고 말했다.

"소피, 인사해! 저쪽은 나와 함께 이번 박람회를 준비한 동료들이야."

내 손길이 향한 곳으로 소피가 두 손을 배꼽으로 모으고 허리를 숙였다.

'훗! 귀여운데. 어디서 배운 거야?'

"안녕하세여. 소피아라고 해요."

또박또박한 한국어였다.

저건 또 언제 배웠지?

발음이 살짝 어색하기는 했지만, 충분히 알아들을 수 있었다.

그녀에게 웃으며 말했다.

"언제 한국어를 배웠던 거야? 통역을 해주려고 했는데, 전혀 필요가 없겠는걸?"

소피가 수줍게 웃었다.

"아직 서툴러요. 몇 마디 못 하구요."

"아니! 그 정도면 인사로는 훌륭해."

사람들을 보며 말을 이었다.

"방금 들었다시피 소피라고 해. 독일에서 알던 친구야. 뭐. 아버지 일 때문에 왔다고 하니 금방 가겠지만, 혹시라도 만나게 되면, 모르는 척 지나치지 말고, 아는 척 인사 좀 해 줘."

아무도 반응이 없었다.

'왜 이래? 다들? 그렇게 어색한가?'

뭐! 이건 이것대로 좋은 거지.

이대로 슬그머니 상황을 정리하면 되겠군.

우리 팀이 아닌, 다른 사람들을 향해서도 허리를 숙였다.

"일 년 만에 만나는 거라서, 인사가 좀 격하게 되었네요. 불편을 드렸다면 죄송합니다."

"……."

머쓱하게 웃으며 말을 이었다.

"서양에서는 종종 이렇게 인사하거든요. 중동에서도 이런 인사, 하잖아요. 안 그래요? 압둘 왕자님?"

멍하니 있던 압둘이 엉겁결에 고개를 끄덕였다.

"으, 응! 그렇지."

어떻게 관심을 돌리지?

곁눈질해 보니, 연단에서 개회사를 하는 사람이 이쪽을 멍하니 보고 있었다.

차관이라고 했던가?

연단을 가리키며 말했다.

"아직 차관님 개회사가 안 끝난 것 같은데요?"

"아! 그랬었지."

가까스로 시선을 돌리는 데 성공했다.

'좋아! 당황하지 않고 잘해냈어!'

쫄깃했던 심장이 겨우 긴장이 풀렸다.

민수에게 말했다.

"민수야, 저기 떨어진 소피 가방 좀 가져오고. 소피는 여기 앉아, 압둘이랑 차나 한잔하면서 쉬다가 가!"

소피가 나를 올려다보며 물었다.

"성훈은 어디 가게요?"

"응. 난 개회사 끝나면, 바로 행사 준비해야지."

"응. 알았어요."

휴!

어쨌거나 어색한 상황은 끝이 났다.

다시 군중의 시선을 받은 차관이 말했다.

"흠흠. 이로써 개회사를 마치겠습니다. 모쪼록 즐거운 시간이 되셨으면 합니다."

관람객들의 박수를 받으며, 그가 연단을 내려왔다.

부하가 차관에게 작은 소리로 물었다.

'차관님, 반도 안 읽으셨는데, 끝내시면 어떡합니까?'

그 말에 차관의 눈 아래가 꿈틀거렸다.

"됐어. 아무도 안 듣는데 뭘."

'이렇게 허수아비가 된 기분은 난생처음이라고.'

그의 머리에는 얼른 자리를 떠야겠다는 마음만이 가득 채우고 있었다.

이제 정말 박람회를 시작해야 할 시간.

각자의 위치에 가 있어야 할 녀석들이 홀 가운데서 웅성거리고 있었다.

뭐 하냐고 물어서 무엇하리!

무슨 얘기 하는지는 뻔한데 말이다.

'지금 여자 생각이 나냐? 녀석들! 쓸데없는 생각 못 하도록 몰아붙여야지!'

손뼉을 치면서 주의를 끌었다.

"자! 다들 긴장해! 지금부터는 연습이 아니야! 실전이라고!"

"모형 1팀에서 6팀까지, 이상이 있으면 보고해? 거기는 피해서 갈 테니까?"

"없습니다. 완벽합니다!"

"특히! 팔상전 측면의 순차적 개폐, 부드럽게 이어지도록 했어?"

"네. 몇 번이고 재확인했습니다. 이상 없습니다."

"좋아! 다음, 기계팀!"

"저희도 완벽합니다. 도로 수평도 이상 무! 말씀하신 롤러 간의 이격도 확실히 잡았습니다."

"좋아. 다음, 전자팀!"

"지시하신 빔의 정확도, 완벽하게 맞췄습니다. 이상!"

'이 녀석들이 묘하게 눈빛들이 풀려 있네.'

"눈에 힘 똑바로 안 줘! 우리의 목표는 뭐다?"

"우승입니다!"

"목표는 뭐다?"

"우승입니다!"

팀의 함성이 박람회장에 울려 퍼졌다.

"좋아. 그럼 각자 위치에서 대기한다. 해산!"

민수가 다가왔다.

"형, 현주 씨한테 가서 무용팀 준비 끝났는지, 좀 확인하고 와도 될까요?"

"아! 고맙다. 깜빡하고 있었다. 첫 시작이니까, 단단히 준비하라고 해!"

박람회 준비가 완벽하게 끝났다.

"중요한 건 네가 성훈 씨를 믿을 수 있느냐 없느냐야."

"생각해 봐. 성훈 씨가 자기 여자라면 대놓고 소개했겠지! 저 사람이 얼마나 기가 센지 아니?"

의자에 앉아 있던 현주가 미현을 올려다봤다.

"네가 성훈 씨를 어떻게 그렇게 잘 알아?"

"성훈 씨가 아빠 회사랑 일을 몇 번 했거든."

"아아."

성훈이라면 그럴 것이다.

어설픈 회사 따위는 성에 차지도 않을 테니.

"아빠가 그러던데, 최 이사 아저씨가 성훈 씨한테 가서 박살 나고 왔다고 하더라."

"그 무서운 분?"

미현이 성훈을 응시하며 고개를 끄덕였다.

"그 아저씨가 보통 사람이니? 회사 사람들이 벌벌 떠는 분인데."

"그런 일이 있었구나."

성훈이 누구에게 진다는 건, 생각을 해본 적이 없는지라 자연히 이해가 되었다.

부스에 기댄 채, 현장을 뛰어다니는 성훈을 보며 미현이 말을 이었다.

"그게, 뭐 때문인지 아니?"

현주가 알 리가 없다.

"저작권 때문이야. 자기 건데 왜 자기 맘대로 못 하냐고 싸웠단 말이야."

성훈이라면 그럴 수도 있을 것이다.

미현이 기가 찬다는 듯 코웃음 쳤다.

"나 참! 그게 얼마짜리였는지 아니? 오억은 넘었다고. 오억! 새파란 학생이 오억을 발로 차더래. 돈 같은 거 필요 없다면서!"

순간 현주는 숨이 멎는 것 같았다.

'그게 뭐라고! 오억을 포기해? 대체…….'

"현주야, 그렇게 소유욕이 강한 사람이!"

미현은 턱짓으로 소피를 가리켰다.

"저기 저 사람, 압둘 왕자라고 했니? 그런 사람이 눈 풀려서 바라보고 있는데, 그런 자리에 자기 여자를 방치할 거라고 생각해?"

현주가 고개를 도리질했다.

"그치! 현주 네가 봐도 그렇지."

미현이 확신하며 말을 이었다.

"성훈 씨가 좋아했다면 분명히 말했을 거야. 자기 애인이라고."

현주가 생각하기에도 거의 확실했다.

미현이 소피아 쪽을 보며 말을 이었다.

"쟤! 혼자 좋아하는 거야! 분명히!"

그 확신에 현주의 고개가 끄덕거렸다.

"현주야, 성훈 씨는 지금 이성에게 관심이 없어."

"응, 내가 봐도 그래."

그게 현주 자신이 제일 안타까운 부분이 아니던가!

이성에 관심이 있으면 어떻게 유혹이라도 해볼 텐데, 저 남자 머릿속에는 오로지 일, 일밖에 없었다.

"그럼 여기서는 네가 더 성훈의 눈에 띨 수 있다고. 왜? 소피아, 쟤는 여기서 할 수 있는 게 없거든."

현주를 보며 빙긋이 웃었다.

"성훈 씨가 여자 얼굴 보고 좋아하는 사람은 아니잖니? 안 그래?"

그 말에 현주가 어색하게 웃었다.

미모로는 누구에게도 꿇리지 않는다 생각했고, 성훈의 눈에 들 수 있다고 생각했었는데…….

오늘 그 자신감에 상처를 입었다.

"그렇긴 하지."

미현이 현주의 등을 때렸다.

"정신 똑바로 차려. 이 계집애야! 어물거리다가 엉뚱한 년한테 빼앗기지 말고!"

"아얏! 알았어. 말로 해. 잉!"

"아이구. 우리 현주. 이번에는 확실히 성훈 씨 마음에 찜하는 거야. 알았지."

"응!"

현주가 웃으며, 양 볼에 힘을 집어넣었다.

걱정이 돼서 왔던 민수가 옆 부스에서 그녀들의 말을 듣고 흐뭇한 미소를 지었다.

'참. 형은 의외로 여자한테 둔하단 말이야. 다른 부분은 칼 같으면서…….'

성훈은 아까 홀에 모여 있는 것이 소피아 때문이라고 생각 했던 모양이지만 그건 오해였다.

'굉장히 심각한 토론이었다고.'

개회사가 끝나고, 보람과 승범이 다급하게 민수를 불렀 었다.

"저 아가씨가 춤추기로 했던 사람이지?"

민수가 고개를 끄덕이자, 그들이 아주 심각한 표정으로 말 했다.

"네가 가서 좀 달래주고 와라. 민수 너, 저기 아는 사람 있 었잖아."

"네, 미진이라고 사귀는 사람 있어요."

"잘됐네. 그럼 가서 소피아는 성훈과 아무 관계가 아니라 고 말 좀 하고 와라."

민수가 어색하게 한 걸음 뒤로 물러났다.

"제가 왜 알지도 못하는데, 거짓말을…….'"

보람이 고개를 저으며 말했다.

"아이고. 이렇게 생각이 짧다니까, 저 공연 실패하면 성훈 이 계획에도 차질이 생기지?"

당연한 말 아닌가?

보람의 말을 승범이 받았다.

"차질이 생기면 제일 먼저 누굴 쪼겠냐?"

"흥. 물어볼 필요 있어? 제일 가까이 있는 우리겠지!"

민수도 고개를 끄덕였다.

"아마. 성훈이 형이라면……. 백 프로."

둘이 동시에 인상을 쓰면서 말했다.

"그때부터 우리는 죽어나는 거야. 알지?"

더 이상 설명이 필요 없었다.

민수가 보기에도 공연 실패 이후의 상황이 파노라마처럼 펼쳐졌으니까.

"형이라면 다른 방법을 찾겠죠."

두 선배가 고개를 끄덕였다.

"녀석이 수단과 방법을 가릴 리가 없잖아."

"응. 거기다가 행동하는 사람들의 피로도는 전혀 생각하지 않는 무자비한 놈이지."

둘이서 이구동성으로 말했다.

"민수야, 제발 우리 좀 살려주라. 응?"

"휴. 알았어요. 한번 가볼게요."

마지못해 그들의 부탁을 승낙했다.

'나도 더 시달리다가는 과로사로 죽을 것 같아.'

한석이 녀석이 있었다면 좋았을 텐데.

이런 일에 딱 제격인 녀석이 아니던가?

'얘는 오늘쯤 휴가받아서 온다더니, 왜 아직도 연락이 없어!'

하지만 지금 상황이라면 문제가 없을 것 같았다.

'좋아. 현주 씨 지금대로만 해주세요.'

속으로 파이팅을 외치며, 자리로 돌아갔다.

성훈이 물었다.

"어떻게 됐어? 이상 없다고 하지?"

"네! 아무 이상 없답니다."

"좋아. 자, 다들. 시작한다. 긴장 바짝 조이고!"

박람회가 시작되었다.

박람회장의 문이 열리고, 사람들이 하나둘 입장하기 시작했다.

동시에 첫 번째 부스의 문도 열렸다.

사르르륵.

한복을 곱게 차려입은 여인들이 중앙의 무대로 나아갔다.

치마폭이 바람에 날려 하늘거린다.

빠르나 경박해 보이지 아니하고, 분홍치마 저고리에 잰 발놀림이 가려, 우아한 백조처럼 무대로 향한다.

다섯 명의 여인이 무대에 섰다.

아직도 치맛자락이 좌우로 흐느적거린다.

비단의 흔들림이 잦아들고, 정적이 찾아왔다.

바람의 장난이려가?
돛단배 바람 타고 삼천 리를 달려가네.
오색 비단 알록달록 향기로운 꽃내음이
두리둥실 바람 타고 구름인 듯 지치더니,
어느새 무대 위에 홀연히 서 있구나.

잰 발걸음 분명하고 비단 꽃신 보이건만,
얼음 위에 나빌레라 한 떨기 연꽃인가?
하늘하늘 치마폭에 다급함은 하나 없고,
호수 위 백조인 양 우아한 몸짓이라.

휘날리던 치마폭이 요리조리 살랑이네.
머리 위엔 족두리요 양손에는 부채 쥐고
봄바람에 일렁이듯 갸웃갸웃 고개 흔들
양손에 피어오른 부채들이 눈길 잡네.

아이고!
부채 꽃에 박힌 시선 떼어낼 수가 없구나!
차림 없는 잔치이나 마음껏 즐기시구려!

껄껄한 노고수의 자작창이 장내를 가로지른다.

그리고…….

탁!

경쾌한 북소리는 얼어붙은 꽃잎들이 살아나는 신호였던가!

띵기딩. 띵띵.

덩기덕, 쿵떡!

은은한 가야금, 흥겨운 장구와 어우러져, 꽃들의 향연이 시작되었다.

"오오!"

"하아!"

장단에 맞춰 무대를 가로지른다.

가녀린 팔에 어찌 그리 아름다운 선을 만들어내는지 그저 감탄만 할 뿐 아무도 말이 없다.

성훈이라고 별다르랴!

넋을 잃고, 그 모습을 감탄했다.

가운데 노란 꽃잎은 회전하고, 사방의 하얀 이파리들은 사정없이 드넓은 무대를 종횡한다.

'+'자로 흩어지더니, 부채를 든 양손이 장단을 따라 춤을 춘다.

'휘릭' 피어났다가 '촤락' 접힌다.

하얀 종이 위에 그려진 오색의 꽃들이 나타났다 사라지기를 반복하며 관객의 눈을 희롱한다.

보일 듯 말 듯 눈길을 잡더니, 만개한 꽃을 들고 제자리에서 맴돈다.

스르르륵.

팽이처럼 움직이며 나선형을 그리더니 노란 꽃에게로 모여든다.

튕기듯 연주하는 가야금 소리에 사람들의 어깨가 들썩인다. 고개가 끄덕인다.

각자의 방식으로 춤에 빠져들어, 장단을 맞추고 있었다.

지금의 시간이 멈추었으면 할 정도로.

벌써 절정인가!

아쟁의 애달픈 활 소리가 들리고, 노란 꽃잎을 중심으로 부채들이 만개한다.

활짝 핀 부채, 그리고 환하게 웃고 있는 미녀들.

사람의 마음을 조종하는 걸까?

너울너울 부채의 율동에 호흡을 맞추며, 저도 몰래 몸을 흐느적거리고 있었다.

심장마저 흥이 났음인가?

리듬에 맞춰 박동한다.

쿵떡. 쿵떡.

현주를 중심으로 회전하던 무용수들이 줄줄이 줄지어 외

곽을 가로지른다.

처음에는 여덟 송이였다가, 두 송이를 가장자리에 떨구더니, 여섯 송이가 되었다.

바람을 탄 듯 너울너울 움직인다.

여섯 송이, 네 송이, 두 송이가 되었을 때, 꽃들의 여행은 끝이 났다.

사방의 가장자리, 그리고 중앙의 현주.

그녀들의 율동으로 드넓은 무대가 좁디좁아 보인다.

'하아!'

구석에서 안으로, 안에서 가장자리로, 네 모서리의 꽃잎들은 봄바람에 휘날리듯 우아하게 회전한다.

'엇!'

그동안 새침하게 중앙을 고수하던 현주였다.

'아니야! 지금이 절정이야!' 하는 항변인가?

지금껏 보아왔던 어떤 꽃잎보다 더 화려하게 부채를 펼쳤다.

휘릭!

한 손으로는 치맛자락을, 나머지 손은 어깨 뒤로 넘긴 채, 어깨춤을 추고 있다.

그리고 도도한 눈으로 관중들을 유혹한다.

하얀 자위에 박힌 검은 수정이 사람들의 뇌리에 각인된다.

'헛!'

한 바퀴를 휘리릭, 다시 또!

격하지 않되, 더 이상 격할 수 없을 정도로 절제된 동작으로 어깨를 들썩인다.

그녀가 어깨로 사람들을 매혹시키고 있었다.

나부끼던 치마폭이 소슬바람이라도 된 양, 그녀의 몸을 회오리처럼 감싸 안았다.

휘리릭!

휘리리릭!

휘리리리릭!

현주가 호선을 그리며 무대를 가로지른다.

예전에 그랬던 것처럼!

휘익 하더니 방향을 바꾸더니, 내가 서 있는 부스 앞으로 돌풍처럼 휘몰아친다.

오늘도 저 곡선의 마침표는 내 앞이 아닐까?

그녀가 부채를 접으며, 내 앞에서 살포시 무릎을 꿇었다.

지금까지의 격정은 환상이었던 것처럼.

힘 잃은 치맛자락이 그녀 주변에 미끄러져 내렸다.

딱. 딱. 딱!

북소리가 멈췄다.

호흡 소리도 멈췄다.

들리는 건, 내 심장 소리뿐.

두근! 두근! 두근!

현주의 어깨가 들썩인다.

가쁜 숨을 몰아쉬며, 오른손으로 옷깃을 잡고 숨쉬기를 반복하고 있었다.

하아. 이보다 아름다운 게 또 있을까?

고개를 드니, 사람들이 나를 보고 있었다.

'얼른 일으켜 주지 않고 뭐 해!'

'손 내밀어 그녀를 세워주라고!'

검은 눈동자도, 푸른 눈동자도, 갈색의 눈동자도!

모두 내게 명령하고 있었다.

그녀에게 손을 내밀었다.

현주가 살며시 고개를 들며, 눈으로 물었다.

'어땠어요?'

그녀는 춤에 빠져서 관객들의 반응을 볼 수 없었으리라.

너무 조용해서 반응을 알 수 없는 걸지도!

뭐라고 말해야 할까?

그냥 엄지를 치켜세웠다.

더 이상 만족스러울 수 없는 얼굴을 한 채.

'굳이 대답이 필요하겠어?'

현주가 내 손을 잡았다.

내 손에 끌려오듯 일어서서, 내 옆자리에 섰다.

그리고 관중들을 보며, 차분하게 고개를 숙였다.

"우어어어!"

"와아! 브라보!"

"판타스틱!"

"언빌리버블!"

억눌린 가슴을 터뜨리기라도 할 셈인가?

우레와 같은 박수와 함성이 터져 나왔다.

그리고 잠시 본분을 잊었던 기자들은 다급히 플래시를 터뜨렸다.

"춤추는 걸 찍었어야 하는데. 이런!"

"완전 대박이네. 이런 걸 여기서 볼 줄이야."

"이게 사실상 처음이자 마지막 기삿거리가 되는 것 아닐까?"

"진짜! 셔터를 누르는 걸 잊을 정도로 빠져들게 하네. 전통 무용이 이런 거였어? 하아!"

한숨으로 감정을 표현하는 사람도 있는 반면,

"한복을 입었는데, 어쩜 그렇게 도발적이지?"

그 말을 들은 기자도 수긍하며 고개를 끄덕였다.

"응. 더없이 우아한데, 말할 수 없이 요염해. 하아!"

입을 반개한 재, 넋을 놓고 있던 소피아가 현주의 눈빛에 정신을 차렸다.

아까의 그 도발적인 눈동자.

저도 모르게 어금니를 꽉 물었다.

"끄응!"

소피아의 반응을 확인한 현주가 성훈을 올려다보았다.

"바로 시작하면 되겠는데요? 성훈 씨."

"으응. 그러지."

그녀는 소피아의 눈길을 의식하며, 자연스레 성훈의 팔에 오른손을 끼워 넣었다.

누구에게 보란 듯이!

78장
갑돌이

내 소개 따위는 필요 없었다.

중요한 것은 이 여세를 몰아 분위기를 타는 것이지, 딱딱한 인사말로 상승세를 끊고 싶지 않았다.

로봇이 앞으로 걸어 나와 꾸벅 인사를 했다.

한복을 입고, 호돌이가 썼던 상모를 머리에 쓰고 있었다.

살짝 이마가 보이게 뒤로 눌러쓴, 익살스러운 모습이었다.

"헬로! 레이디 앤 젠틀맨! 나는 갑돌이라고 해요. 우리나라에 온 것을 환영합니다."

작은 손을 들어서 관객들에게 흔들었다.

목소리는 내 볼에 붙인 작은 마이크에서 갑돌이의 입에 내장된 스피커로 연결이 되어 있었다.

내 굵은 음성을 좀 더 귀엽게 변조시킨 채.

내게 향하던 눈빛이 갑돌이에게 옮겨갔다.

"귀엽네요. 갑또뤼? 갑도리?"

"어디서 많이 듣던 이름인데? 하하."

작은 웃음이 퍼져 나왔다.

한국 문화에 그나마 익숙한 사람들이었다.

갑돌이라는 이름 한 번은 들어봤겠지!

긍정적 반응에 조금 마음이 놓였다.

'현주가 너무 잘해서 걱정을 했는데, 기우였어.'

아직 본론은 시작도 안 했으니 이 정도면 만족할 만한 출발이었다.

"그럼 여러분. 이제 여행을 떠나볼까요."

첫 번째 관문을 여는 것은 봄의 석굴암이었다.

짧은 언덕길을 올라 토함산으로 올라가야 했다.

"지금 관람하실 것은 천 년에 빛나는 통일신라 시대에 지어진 석굴암이라는 조형물입니다."

석굴암으로 올라가는 동안 간단한 설명을 덧붙였다.

한국인이라면 역사 시간을 통해 어렴히 알고 있을 사실이지만 관객 대부분이 외국인이니 기본적인 정보를 미리 알려 줄 필요가 있었다.

"우리나라 역사서인 삼국사기에 의하면 8세기 중엽에 지어졌으며, 불국사와 비슷한 시기에 중건되었습니다."

갑돌이의 시선이 향하는 곳에 꽃들이 보인다.

개나리와 벗꽃, 진달래. 꽃들이 경연을 벌인다.

그 모습이 진열대 앞의 모니터로 송출되었다.

실제미를 강조하기 위해, 올라가는 길을 숲으로 장식하고, 굽이굽이 도는 길목마다 꽃들을 장식해 두었다.

'짧은 동선이지만 봄의 풍취는 충분히 느낄 수 있겠지.'

외국인들은 몰라도 나와 내 또래들에게는 불국사와 석굴암은 봄 소풍의 단골 메뉴였다.

다만 아쉬운 점은 아무리 미니어처를 신경 썼어도, 가까이서 보면 조화라는 게 보였다.

한 여자가 속닥거렸다.

"저 모니터! 갑돌이가 보는 걸 보나 봐요? 저 사람 봐요! 모니터만 보잖아요."

그제야 아무도 관심을 가지지 않던 모니터로 시선이 집중되었다.

성훈의 눈도 갑돌이보다는 모니터에 가 있는 시간이 많았다.

그녀의 말에 성훈이 피식 웃었다.

'갑돌이의 시선이 뭐가 중요하겠어. 내가 보여 주고 싶은 걸 얼마나 보여 주느냐가 관건이지.'

"어! 정말이네? 난 그냥 거기 가는 길을 찍어서 보여 주는 줄 알았는데."

"그러게. 완전히 속았지 뭐야! 자세히 보니 미니어처군요. 대단히 디테일하게 잘 만들었네요. 모르고 지나쳤으면 끝까지 속을 뻔했습니다. 허허."

"한국인들이 손재주가 좋다더니, 정말인가 봅니다. 전부 공과대 학생들이 만들었다고 하던데."

"앗! 돌부리를 밟았나 봐요. 화면이 흔들렸어요."

평지에서 오르막을 오르다 보니 생기는 현상이었다.

"오! 그래도 꽤나 움직임이 자연스러운 걸요?"

"전 오히려 살짝 뒤뚱이는 게 귀여운데요? 오르막을 오르느라 힘드나 봐요. 호호."

"그래요. 보기에 거북하지도 않고, 저 정도면 굉장한 수준이죠. 한복하고도 잘 어울리고."

만족스러운 반응을 들으며 설명을 계속했다.

"이 석굴암이 인도나 중국의 석굴과 다른 점은 천연 암벽을 뚫고 만든 천연 석굴이 아니라, 화강암을 손으로 다듬어 인공적으로 축조한 석굴사찰이라는 점입니다."

"그런 곳이 있었어?"

"이 조그만 나라에? 그런데 왜 몰랐지?"

세계는 크고, 인도도 크다.

중국도 크지만, 한국은 작다.

불과 몇십 년 전만 해도, 북한의 도발에 생존을 위협받고,

선진국의 원조에 의존하지 않으면 자립이 불가능한 나라.

그들이 초등교육을 받을 때는 우리나라 '대한민국'의 국가명은 세계사에 등장하지도 않았으리라.

한국에 관심이 있을 리 없고, 그들의 눈에 보이는 것이 한국의 전부였을 것이다.

개미처럼 열심히 일만 하는 나라.

'한국 사람은 일밖에 모르고, 문화와 교양의 뿌리가 없는 천박한 국민성을 가졌다.'

수십 년 전의 쓰디쓴 평가지만 그때는 반박할 수 없었다.

반박해 봐야 우리의 모습은 그들이 보기에 거지나 다를 바가 없었으니까.

'하지만 이제는 반박할 수 있다고.'

세계 최강대국, 미국?

당신네 이백 년 역사보다 우리는 스물다섯 배나 긴 반만년의 역사를 가지고 있다고!

당신네는 한국 하면 떠오르는 게 고작해야 세계 최고의 반도체 회사가 있는 나라, 최고의 PDP 기술, 휴대폰 하면 한국을 떠올리겠지만.

'그건 한국에 대해 전혀 모르는 거나 마찬가지지.'

딴 나라말이 우리 입에 안 맞는다는 그런 단순한 이유로 세종대왕께서는 한글이라는 문자를 만들었고!

나라와 백성을 지키기 위해 세계 최초의 철갑선, 거북선을 만들어 전사할 때까지 스물두 번의 전투를 치르면서 한 번도 패배하지 않은 충무공 이순신 장군이 있고!

금속활자를 최초로 만든 나라가 대한민국이라고.

'왜 자랑할 것이 그것밖에 없겠어!'

하지만 그들이 알고 있는 건 몇십 년 전의 가난하고 미개한 나라였다.

'이제 그렇게 무시당할 이유가 없잖아.'

선진국의 원조, 끊어진 지 오래되었다.

그동안 감사했다. 이제 우리가 원조할게.

그들을 무시할 이유는 없지만 그들에게 우리의 진면목을 보여야 하지 않겠는가?

"아! 저럴 때는 저렇게 컨트롤을 하는구나!"

"실시간으로 하는 거니만큼 바로 적용이 되네요. 어쩜 초점이 흐려질 줄 알았는데, 금방 바로잡았어요."

"그거 쉽지 않은데 말이죠. 잘못 조종하면 멀미하거든요."

"그런가요. 저거 어디서 살 수 있는 건가요?"

"박람회에 나온 물건이니까, 나중에 내놓고 팔지 않을까요?"

"사서 우리 아들 줘야겠네요. 호호."

하지만!

좋은 일에는 마가 낀다고 했던가?

뒤에서 비아냥거리는 소리가 들렸다.

"저게 뭡니까? 하려면 제대로 할 것이지! 쯧쯧."

아까부터 이 목소리의 주인은 관객들이 집중할 만하면 코웃음을 던지며 맥을 끊고 있었다.

'혹시 내 작업을 방해하러 온 다른 부스의 사람인가? 진짜라면 이따 보자구요.'

처음에는 이렇게 생각했지만, 지금 혀 짧은 소리였지만 영어로 말하는 것을 보니, 아마도 대사관의 직원이거나 관계자이리라.

내가 작품들을 진열하며 거의 대부분의 장인을 만나 보았다. 갓 만드는 장인부터 짚신을 삼는 장인까지.

'그분들은 모두 영어라면 질색을 하셨다고.'

조종을 하면서 모형 맞은편의 아크릴로 그가 있을 만한 장소를 찾았다.

계속 신경이 쓰여서는 가이드를 제대로 할 수 없을 것 같았다.

어떻게든 그의 입을 다물게 해야만 했다.

'누구지?'

작은 키의 일본인!

바로 내 오른쪽 뒤에서 이죽거리는 모습이 보였다.

'후! 소세키 같은 놈! 로봇 경연 대회도 아닌데, 양해하고 넘어가지? 오타쿠냐? 나도 그 부분은 아직 불만스럽다고.'

하지만 우리가 할 수 있는 최선이었고, 분명 지금으로써는 주어진 시간에 만들 수 있는 최상의 결과라고 자부했다.

그의 비아냥거림을 현주도 알아들었는지 살짝 미간을 찌푸리고 있었다.

'불만이면 일본말로 할 것이지! 굳이 짧은 영어로 말했다는 건 시비를 걸겠다는 거지.'

이미 누가 조종하는지는 모두가 알고 있었다.

현주가 조이스틱을 들어서 내 손 위에 올려 줬으니까!

현주가 내 쪽을 힐끔 올려 보더니, 부채 쥔 새하얀 손을 살짝 말아 올렸다.

"갑돌이 파이팅!"

그녀가 한 말의 의미를 이해한 것인가?

큭큭 대는 소리가 들렸다.

그리고 작지만 관객들의 응원 소리도 들렸다.

'갑또뤼! 퐈이팅!'

아마 현주의 팬이거나 갑돌이의 의상과 내 한복이 똑같은 디자인이라는 것을 눈치챈 것이리라.

갑돌이 의상을 만들어주겠다며, 한 여사께서 팔자에도 없는 인형 옷을 만들었다고.

'얼마나 한 땀 한 땀 정성 들인 건데.'

내 아바타 갑돌이를 창피하게 할 수는 없지.

'크크큭. 갑돌이가 저 사람 이름인가 봐.'

'어째, 딱 어울리는데.'

'갑돌이 파이팅!'

곳곳에서 응원의 속삭임이 들렸다.

일본인의 풀죽은 콧소리가 들렸다.

'흥!'

저게 시작도 하기 전에 초를 치고 있어!

'한 번만 더 시비 걸어! 바로 족쳐주지!'

끓어오르는 화를 내리누르는 동안, 석굴암 입구에 도착했다.

"지금 보실 석굴암은 1995년 유네스코 세계문화유산으로 지정되었습니다."

사람들의 눈이 휘둥그레졌다.

그 의미를 알기 때문이다.

인류 문화 중 반드시 보존해야 할 것들만 골라서 지정하는 것이니까.

"정말이야?"

"그렇게 까탈스러운 사람들이 그걸 인정했다고?"

그들의 속삭임을 들으며, 갑돌이가 석굴암 쪽으로 발걸음을 옮겼다.

"이 석굴암이 유네스코에 지정된 이유에는 여러 가지가 있겠지만, 단지 세계 유일의 인조 석굴이기 때문만은 아닙니다."

안으로 들어서자, 은은한 빛 가운데 인자하게 웃고 있는 본존석불이 보였다.

"어머, 진짜 석굴암이 이래요?"

안타까운 한숨을 내쉬며 말을 이었다.

"이런 줄 알았으면 진작 가볼 것을⋯⋯."

"그러게요. 진짜 석굴암을 옮겨놓은 것 같아요. 모형에 세월이 묻어 있네요."

'이 사람은 정말 가봤나 보지?'

그들의 감탄에 성훈의 얼굴에 뿌듯함이 서렸다.

화강석의 느낌을 살리기 위해 석공장들을 얼마나 독려했던가!

세월을 살리라고 얼마나 장인들을 닦달했던가!

"에이! 설마요. 실제 석굴암을 찍어서, 교묘하게 편집을 했겠지요."

"무슨 말도 안 되는 소립니까? 저걸 어떻게 편집을 해요?"

"전 이 로봇의 동선도 미리 컴퓨터에 저장을 해둔 거라 생각합니다. 어떻게 모니터만 보면서 로봇을 움직입니까? 말이 됩니까? 예?"

'이 양반아! 내가 이 길을 수십 번을 걸었다고.'

내가 눈을 감아도 갑돌이는 제 길 찾아 걸어갈걸!

"저게 석굴암과 똑같은 스케일이라고 했죠? 그것도 일부러 그렇게 한 겁니다."

"왜요?"

"그래야 실제로 찍어온 걸로 대체해도 뷰가 어색하지 않을 것 아닙니까?"

그가 기세등등하게 말을 이었다.

"화강석이라고요. 드릴로 해도 잘 안 뚫리는 게 화강석이라고요. 그런데 그걸로 저 스케일로 만드는데……."

그는 모니터를 가리키며 말을 이었다.

"저런 디테일이 가능하다고 생각하십니까?"

그 말에 의문이 생긴 듯한 백인이 고개를 숙이고, 입구 안을 뚫어지듯 처다봤다.

"이거 보쇼! 진짜 갑돌이가 보는 게 맞는 것 같구먼. 근거도 없는 말로 비방하지 마시오. 이런 격식 있는 자리에서."

그 말에 그 일본인도 뜨끔했던지 말을 멈췄다.

하지만 이내 다시 말했다.

"아니오. 이건 분명히 조작이오. 우리 일본의 기술로도 이런 건 아직 못하는데. 단언컨대, 한국의 기술로는 불가능합니다."

'넌 아웃이다. 망할 자식!'

진짜 석굴암에 한 번이라도 가본 사람은 절대 저런 말을 못한다.

왜?

본존불 앞 주실 입구에는 유리 벽이 서 있거든!

일반인들은 들어가지도 못한다고.

'헛소리를 하려면 제대로 알고 하든지!'

그놈의 말을 들었음인가?

갑돌이가 석굴암 밖으로 얼굴을 내밀었다.

사람들의 의아한 시선이 로봇으로 몰렸다.

"왜 나오는 거지? 문제가 있는 건가?"

석굴암 앞마당으로 나온 갑돌이가 소리의 방향을 향해 몸을 돌렸다.

그리고 고개와 검지를 들어 좌우로 돌렸다.

애초에 검지밖에는 펼 수 없지만, 의도는 충분히 전해졌다.

'당신이 틀렸어!'

틀렸다고? 뭐가?

앙증맞은 행동에 관객들의 궁금증이 더해졌다.

'지이잉' 하는 소리와 함께, 갑돌이가 손을 어깨 위로 치켜들었다.

손을 천천히 내리면 그를 조준했다.

슉!

"엇!"

주변 사람들이 그의 얼굴로 동시에 시선을 모았다.

'왜? 무슨 일이지?'

그가 이상한 느낌에 눈을 미간으로 모았다.

하지만 보일 리가 있나?

자기 미간에 찍힌 붉은 점이.

다급히 모니터로 시선을 돌렸다.

다시 들리는 모터의 소음!

지잉. 지잉.

갑돌이 눈의 조리개가 한계치까지 돌아가는 소리였다.

흐릿하던 모니터의 영상이 점점 뚜렷해졌다.

"엇! 내 얼굴이잖아. 웬 점이지?"

그제야 그는 갑돌이의 레이저가 그의 이마를 조준하고 있다는 것을 깨달았다.

'이 필살기를 저딴 놈 대갈통에서 첫선을 보여야 하다니! 젠장!'

그는 당황했다.

"어. 어. 어."

그와 동시에 갑돌이가 익살스런 목소리로 말했다.

"카운트 들어갑니다. 쓰리…… 투…….."

다른 사람들의 귀에도 그의 비아냥은 어지간히 거슬렸던 모양이다.

관람객 중 일부도 갑돌이의 카운트에 동참했다.

"쓰리…… 투…… 원…….."

한 인물의 미간에 조준된 빔.

그리고 카운트다운.

남은 것은…….

'꺼져 버려!'

칼로 흥한 자, 칼로 망하고, 입으로 흥한 자, 입으로 망한다 했던가!

각양각색의 언어가 총알이 되어 날아갔다.

"빵야!"

"퐈이아!"

"붐!"

가슴 깊숙한 곳에서 우러나오는 짜증의 대폭발!

그 순간만큼은 인종과 국적을 초월하여 한마음이 되었다.

무릎이 풀린 걸까?

그는 실 끊어진 꼭두각시처럼 바닥에 허물어졌다.

털썩!

자리에 주저앉은 채, 주변을 경계하며 눈동자를 굴렸다.

'꺼지라니까, 왜 주저앉는 거야.'

갑돌이의 레이저는 아직도 그의 미간을 겨누고 있었다.

제 발로 꺼질 때까지는 그의 레이저 또한 꺼질 수 없다는 듯!

그가 자신의 이마를 손으로 비볐다.

아무 일도 일어나지 않았다.

당연하지 않은가?

포인터는 포인터일 뿐, 아무런 해가 되지 못한다.

제풀에 주저앉은 것일 뿐.

고객이 될 수 있는 사람에게 무례한 행동이 될 수도 있었지만, 뭐 어떤가?

아무리 돈 많은 고객이라도 팔고 싶지 않을 때가 있지 않던가?

그것도 자신이 애지중지하는 거라면 말이다.

내 대답은 이거였다.

'당신 같은 사람이 내 작품 안 봐줘도 돼. 꺼져!'

그가 벌떡 일어나서, 어눌한 영어로 말했다.

"깝또리, 당신이 저 굴 안에 들어갔을 때의 영상들은 실시간 영상이 아니오. 다른 영상을 대체한 거요."

어이없는 주장에 코웃음이 피식 나왔다.

그에게 한 걸음 다가가면서 말했다.

"성함이……."

"마에다다."

"마에다 씨, 어떤 영상 말입니까?"

"실제로 가서 찍어 왔겠지."

"석굴암에서 말이죠?"

"당연하지!"

"혹시 석굴암에 가 보셨습니까?"

"내가 그런 데를 왜 가나?"

관중들을 향해 물었다.

"혹시 석굴암에 가보신 분 계십니까?"

여자 한 명이 손을 들었다.

"네, 제가 가 봤어요. 갑돌이 씨."

"저 안쪽까지 들어가 보셨습니까?"

"글쎄요. 오래전 일이라……."

"그럼 혹시 본존불 앞에 유리 벽이 있지 않던가요?"

그제야 생각이 났던 모양이다.

"아! 맞아요. 그랬어요."

"문화재를 보호하기 위해 취한 조치입니다. 일반인은 들어갈 수 없죠."

그녀에게 고개를 숙이며 말했다.

"대답해 주셔서 감사합니다. 그럼 마에다 씨, 저 같은 학생을 위해 석굴암에서 유리 벽을 치워 줬을까요?"

"끄응, 어쨌든 저건 조작이요."

말이 통하지 않는 자였다.

자신의 주장밖에 할 줄 모르는.

그리고 자신의 실책을 인정할 줄 모르는.

"마에다 씨, 왜 조작이라고 생각하셨습니까?"

"형편없는 한국의 영상 기술로 그렇게 디테일하게 찍을 수 있을 리가 없어. 물론 실제처럼 보이게 만드는 것도 불가능하고!"

자국 문화에 대한 자부심이 극단적으로 지나치면, 듣는 사람의 속이 거북해진다는 건 모르는 걸까?

"한국은 왜 할 수 없다고 생각하십니까?"

"한국은 우리 일본의 아류이기 때문이지. 아류가 진짜를 이긴다는 것은 말이 안 돼."

끝까지 일관된 주장!

한국은 일본에 안 돼!

왜?

안 되기 때문에 안 돼!

끊임없이 반복되는 도돌이표.

"마에다 씨, 그런 식으로 따지면 일본도 미국의 아류죠. 미국의 산업 지원이 없었다면 지금의 성장이 불가능했을 테니까요. 하지만 일부분에서 일본은 미국을 앞질렀죠. 그것도 조작이었던 겁니까?"

자신들이 아류라는 말은 듣기가 싫었던가?

그의 얼굴이 시뻘게지며 반박했다.

"그건 다르지. 우리는 스스로 노력을 했다고."

그럼 우리는 앉아서 돈 벌었냐?

"방금 보셨다시피, 지금의 영상은 실시간으로 보이는 겁니다. 당신의 이마에 찍힌 붉은 점처럼."

그의 이마에 찍힌 포인터로 장난스럽게 동그라미를 그렸다.

모니터에 비친 마에다의 인상이 험상궂게 변했다.

"일본인 양반, 괜히 갑도리 씨한테 시비 걸지 말고 가셔.

보기 싫으면 안 보면 그만이지. 갑도리 씨 말처럼 근거를 가져오든가?"

아까 석굴암의 입구를 확인했던 백인이었다.

그가 말을 이었다.

"내가 그런 쪽의 전문가는 아니지만, 아까 확인했을 때는 진짜 같았소. 아니, 확신할 수 있소. 저 영상은 진짜요!"

"당신이 나보다 전문가요?"

마에다는 백인에게 삿대질을 하며 자신의 주장을 피력했다.

물론 일본어로.

무슨 말인지 몰라 백인이 멍하게 있었다.

"대체 뭐라고 하는 거야?"

성훈이 비릿하게 웃으며 말했다.

"음…… 대충 의역하겠습니다."

좋은 말이 아닌 것은 알아들었다.

그 내용을 못 알아들은 것일 뿐.

"마에다 씨가 자신은 전문가랍니다. 주변에 권위자인 친구들도 많이 있고요."

마에다의 얼굴이 새파랗게 변했다.

설마 그렇게 속사포로 쏘아 댄 일본어를 알아듣는 사람이 있을 거라 생각을 못 했던 모양이다.

성훈이 일본어로 물었다.

"아까 들은 그대로 통역을 할까요? 좆도 모르면서 아는 척 나대지 말라고?"

눈썹을 추켜 올리며 그의 의향을 물었다.

"으으으."

여기 있는 사람들은 모두 외국인, 그것도 대사관의 관계자들이었다.

그런 사람들이 남의 나라말로 모욕을 받았다고 가만히 있을까?

'당연히 인격 모독으로 고소감이지.'

마에다의 직책이 무엇인지 모르지만 당연히 물러나야 할 것이다.

천박한 행동으로 국격을 더럽힌 외무공무원이 할 수 있는 것은 하나뿐이다.

옷을 벗는 것.

그는 아무 말도 하지 못했다.

"그게 싫으시다면 정중하게 사과하시죠. 나와 여기 계신 모든 분께."

기회를 주었음에도 그는 결단을 내리지 못했다.

할복하라는 것도 아니고, 고개 한 번 숙이는 게 그렇게 어려운가?

내가 잘못한 게 없다면 몰라도, 그는 큰 잘못을 하지 않았나?

아까의 백인에게 말했다.

"마에다 씨는⋯⋯."

"죄송합니다. 물의를 일으켜 죄송합니다. 한 번만 용서해 주십시오."

그는 허리를 직각으로 꺾으며 사죄했다.

백인의 눈은 나의 입을 향해 있었다.

그 눈은 '뭐라고 했는지 말을 해주시오'라고 묻고 있었다.

"사실은 일본어가 너무 빨라서 못 알아들었습니다. 아직은 서툴러서요."

백인이 뱁새눈을 뜨며 물었다.

"정말이오, 갑도리 씨?"

"조금 모르면 알 수 없다? 뭐 그런 의미였는데."

성훈이 머쓱하게 뒤통수를 긁었다.

"역시 남의 나라말은 어렵네요."

미심쩍은 느낌이 남았지만, 진위 확인을 할 수 없었다.

성훈과 마에다, 둘 외에 일본어를 할 수 있는 사람은 없다.

백인이 말했다.

"알겠소, 불쾌하기는 하지만, 의미도 모르는 말로 분쟁을 만들고 싶지는 않소. 하지만 마에다 씨, 당신 얼굴은 분명히 기억해 두고 있겠소."

"죄송합니다."

다시 고개를 숙이는 그에게 말했다.

"마에다 씨, 이제 돌아가시죠? 어차피 제 설명에는 별로 관심도 없으신 것 같은데."

그가 고개를 들더니, 나를 노려보았다.

아직 승복할 수 없다는 듯이.

하지만 나도 이미 뱉은 말을 가지고, 약점을 잡을 생각은 없었다.

지금 이대로도 꿇릴 것이 없는데, 약점은 뭐하러 잡아?

그와 눈을 마주쳤다.

'당신! 운 좋은 줄 알아. 이 자리만 아니었다면, 박살이 났을 테니까.'

그가 돌아서며 말했다.

"내가 틀리지 않았다는 걸 반드시 증명하겠다."

"네, 그렇게 하십시오. 하지만 확실한 근거를 가져와야 할 겁니다. 그때는 나도 그냥 넘어가지 않을 테니까."

그가 관람객들 사이를 지나 사라졌다.

내가 싸움을 확산시키고 싶지 않았던 이유는 단지, 첫 번째 관람을 이런 해프닝으로 망치고 싶지 않았기 때문이다.

액땜은 마에다라는 인간 하나로 충분했으니까!

그는 홀에서 관람객들의 등을 바라보고 있었다.

아직 분이 풀리지 않은 듯, 씩씩거리고 있었다.

그러나 그에게 관심을 가지는 사람은 아무도 없었다.

"갑도뤼! 다음 장면 계속 보여 주세요, 플리즈."

"고고!"

"이제 방해꾼이 사라졌으니, 갑도리의 말에 몰입할 수 있겠군. 너무 짜증 났었어!"

"갑도리! 정말 레이저를 쏴 버리지 그랬어요? 너무 착했어!"

당연한 말이지만, 포인트 빔으로 사람을 죽일 수 있을 리가 없다.

죽일 놈을 지적할 수는 있겠지만.

관람객들은 내 반응을 기다렸다는 듯이, 내 행동에 동참했다.

'어지간히 꼴 보기 싫었나 보군!'

하지만 내게는 이득이었다.

관객들 모두가 갑돌이의 편이 되었으니까!

'잘 가! 고마워! 일본 친구!'

성훈이 피식 웃으며, 다음 멘트를 이었다.

"나중에 석굴암에 가보시는 분들은 아시겠지만."

성질 급한 한 여자가 물었다.

"갑도리의 설명을 들으니, 꼭 가보고 싶어요. 갑도리 씨! 주소를 가르쳐 줄 수 있나요?"

"그건…… 나중에 영상에 나오니까, 적어 가시기 바랍니다."

시선 집중이 되었던 탓에 기분이 좋았던지, 평소에는 하지 않던 애교까지 섞여 있었다.

"계속 설명하자면 본존불이 있는 주실을 여기서는 들어가서 확인을 할 수 있습니다만, 실제로는 유리 벽으로 가로막혀 입장할 수 없게 되어 있습니다."

"저런!"

"문화재 보호 차원에서 그리한 것이니, 이해해 주시기 바랍니다."

물론 그 이유가 일본인들이 석굴암을 해체 및 보수 공사를 하면서, 시멘트를 접합제로 사용함으로써 석굴암의 자연 통기 시스템을 훼손하는 만행을 저지른 데 있었다.

우리 민족이 일본에게 식민지 지배를 받지 않았더라면, 일어나지 않았을 일이었다.

허나 역사에 가정이란 무의미한 것.

또한 이들에게는 상관도 없는 역사적 지식을 강요할 이유도, 과거 역사에 대한 피해 의식으로 민족 감정을 드러낼 필요가 있으랴!

'우리가 힘이 없었으니, 당한 거지!'

석굴암의 구조에 대한 간단한 브리핑을 이었다.

"모니터 하단에 있는 이미지를 봐주시기 바랍니다. 석굴암이 어떤 기하학적 원리를 바탕으로 설계되었는지를 확인하실 수 있습니다."

갑돌이의 설명에 따라 사람들의 눈이 모니터에 집중되었다.

'때로는 백 마디 말보다 도형 몇 개가 설득력이 있지.'

수학 시간도 아닐진대, 좌대의 원을 기준으로 해서, 그 지름의 두 배가 석굴암 내경과 동일하며, 전체 길이는 그 네 배가 된다.

이런 설명이 필요하리?

그림 한 장으로 모든 것이 보이는데.

"지금 제가 서 있는 위치가 실제 석굴암에서 참배자들이 본존불을 보는 시각입니다. 부처님 뒤에 연꽃 광배가 보이시죠. 그럼 실제로 볼 수 없는 것은 어떤 것이 있는지 직접 들어가서 보시죠."

하나하나가 생소한 그들에게는 말만으로는 이해가 어려울 것이다.

본존불이 뭔지, 연꽃 광배가 뭔지 이들이 어떻게 알 수 있으랴!

하지만 내게는 악인을 벌하는 레이저 포인터가 있었다.

설명이 필요한 곳은 하나하나 포인터로 짚어가며.

"저게 연꽃 광배입니다. 부처님 뒤에 있으니, 후광처럼 보이죠? 그리고 부처님 주위로 열 명의 제자가 있네요. 하나,

둘…… 열."

그 외에 갑돌이의 눈에 보이는 것들에 대해 설명했다.

관람객들은 숨을 죽이고 갑돌이의 말에 집중했다.

내가 정말 보여 주고 싶은 건 이것이 아니었다.

석굴암의 보이지 않는 부분.

보이지 않기 때문에 간과하고 지나가는 부분.

'왜 내가 석굴암을 선택했는지, 그 뚜껑을 열어서 보여 주지.'

그 시대 사람들이 불교 문화를 어떻게 건축으로 승화시켰는지 보여 주고 싶었다. 자국 문화에 대한 자긍심도 좋지만 아무런 근거 없이 말로만 우수하다 강조한다면 나도 마에다와 다를 바가 없을 것이다.

연신 감탄사를 발하며 갑돌이의 눈길을 따라가는 그들을 보며, 성훈은 각오를 굳혔다.

'이제부터가 본론이라고요. 애피타이저에 배가 불러서는 곤란하죠.'

다시 기합을 넣으려는 찰나, 누군가가 말했다.

"갑도리 씨! 잠깐만 쉬었다 갑시다."

"그래요, 너무 집중했더니, 다리 아픈 줄도 몰랐네."

"삼십 분이나 시간이 지났네. 이러다가 하루 종일 꼼짝없이 서 있을지도 모르겠어요."

'이런!'

내가 계획한 시간과는 동떨어진 결과였다.

결과적으로 집중도가 높아서 나쁘지 않았지만!

엉뚱한 녀석으로 인해 시간이 지체된 데다, 단순한 설명이 될 거라는 생각을 했는데, 이거야 원.

'그렇게 궁금한 게 많았을까?'

쏟아지는 질문에 숨이 다 잘 지경이었다.

'리허설을 했을 때는 한 작품당 5분이면 충분했다고.'

거기서 난 외국인들이 직설적이란 걸 간과한 거지.

직설적 감탄과 질문.

원래는 작품 전체를 관람하는 데 삼십 분으로 예상했던 건데, 한 작품에 걸리는 시간이 이러하다면 전반적인 계획을 수정해야 했다.

그들의 말에 고개를 끄덕였다.

"그러죠, 그럼 십 분 후에 재개하겠습니다."

그리고 현주에게 말했다.

"현주 씨도 힘들 텐데, 잠시 쉬다 와요."

그녀가 어깨를 으쓱하며 말했다.

"전 괜찮아요."

"시키는 대로 해요. 지금은 피곤한 거 못 느끼겠죠. 하지만 내일 골병 들어서 못 나오면 곤란하다고요."

"헤, 전 몸이 부서져도 할 수 있는데······."

혀를 삐죽 내밀며, 히죽 웃었다.

'어? 언제부터 이러고 있었지?'

보통 때라면 누가 팔짱을 끼면 충분히 자각할 수 있었지만, 삼십 분 동안 조이스틱에만 집중을 하다 보니, 전혀 인식하지 못하고 있었다.

슬그머니 팔을 빼내며 말했다.

"저도 좀 쉬어야겠어요. 이따가 봐요."

"이거 아무래도 처음에는 나 혼자서 하더라도 나중에는 분담을 해야겠어."

동시 다발적으로 진행을 해야 처음 예상했던 만큼의 관람객을 소화시킬 수 있을 것 같았다.

'그러려면 옷이 부족한데.'

갑돌이도 여유 있게 만든다고 했었는데, 이것 또한 내 계산과 어긋났다.

'그것도 여분을 더 만들어야겠어.'

가이드 로봇 갑돌이는 일회용에 가까웠다.

모터의 한계치까지 혹사를 하기 때문에 그 수명이 짧았다.

어쩔 수 없지 않은가?

눈의 렌즈만 해도 급동작, 급제동을 밥 먹듯이 한다.

항상 접사에 가까운 거리에 맞춰져 있다가 아까처럼 원거리에 초점은 맞출 때는 '혹시 모터가 타 버리지 않을까?' 하는 걱정이 들 정도였으니까!

갑돌이 하나로 삼 회 정도의 행사를 소화할 거라 생각했었는데, 지금으로 봐서는 한 타임은 고사하고 반 구간만 돌아도 거의 폐기 직전이 될 것 같았다.

로봇이 위주인 박람회였다면 절대로 그런 무리한 동작을 하지 않았겠지?

시간만 넉넉했더라도 지금보다 안정적인 모터를 찾거나 고려해 봤을 것이다.

하지만 우리 갑돌이는 동작은 격하게 하되, 모터는 작아야만 했다.

결국 해결책은 '수명은 상관하지 말고 성능을 최우선으로 하자!'였다.

그래서 태어난 갑돌이.

불쌍하지만 이제는 쌍둥이 삼둥이, 혹은 육둥이가 되어야 할지도 몰랐다.

'고생시킬 때 시키더라도, 옷은 입히고 해야지.'

갑돌이를 손에 쥐고 한복점으로 향했다.

"어! 소피가 여기 웬일이야?"

그녀는 여느 한국 여자처럼 한복을 입고 있었다. 거기다 족두리까지.

'홋! 잘 어울리네.'

그녀는 나를 보자마자 휙 하니 고개를 돌렸다.

"흥!"

'왜? 내가 뭐 했어?'

난데없는 반응에 어이가 없었지만 그녀는 종종걸음으로 어딘가로 사라졌다.

'그런데 왜 한복을 입고 나오는 거지?'

분명히 서구 체형의 모델들은 싫어하신다더니.

그런데 한 여사는 멍하니 부스에 기대어, 소피의 뒷모습을 바라보고 있었다.

"선생님."

"어, 응, 성훈 군 왔어?"

"쟤, 왜 여기서 한복을 입고 나가는 거예요?"

"성훈 군, 마침 잘 왔어! 소피아 양 옷태가 어때?"

보고 자시고 할 게 뭐 있나?

말 그대로 천사나 여신이 세상에 강림한다면 저런 외모일 텐데.

'나라고 미적 취향이 이상한 건 아니라고.'

"글쎄, 저 아이가 자기도 한복을 입어보고 싶다지 뭐야? 너무 예쁘다면서."

대충 상황이 이해가 갔다.

'현주나 다른 아이들이 입은 걸 보고 예쁘다고 생각했겠지.'

"그래서요?"

"웬만하면 현주를 생각해서 안 입히려고 했는데, 애가 어찌나 싹싹한 데다…… 어쩜 그리 옷이 착 달라붙는지…….”

그녀가 내 손을 잡으며 물었다.

“성훈 군, 내가 괜한 짓을 한 건가? 늙은 것이 주책이 없어서.”

“아뇨, 잘하셨어요. 생각보다 소피도 한복이 잘 어울리네요.”

“그렇지! 역시! 나도 아직 눈 하나는 믿을 만하다니까. 어찌나 가슴이 참하고, 허리가 가늘던지, 게다가 다리는 또…….”

한 여사가 얼굴을 붉히며 고개를 숙였다.

“여자인 내가 보기에도 반할 수밖에 없더라고.”

그건 옳은 선택이었다.

외국인들이 한복을 입은 것이 태가 나면, 그녀로서는 좋은 것 아닌가?

동양인에게만 어울린다고 생각했는데, 소피에게도 어울린다는 것을 알게 된다면 어떤 반응을 하겠는가?

‘이영애가 광고하는 화장품을 산다고, 다 그녀처럼 산소 피부가 된다고 믿는 건 아니잖아.’

요점은 얼마나 아름다워 보이느냐 하는 거였다.

“입고 나서는 박람회 동안만 입고 있으면 안 되겠냐고 하더라고. 자기가 홍보 대사가 되겠다면서 말이야.”

“그래서 승낙하신 거예요?”

그녀는 손사래를 치며 부정했다.

“처음에는 안 된다고 했지. 내가 현주한테 얼마나 원망을 받겠어?”

"원망을 왜 해요? 어련히 선생님의 한복 모델을 하기로 한 건데요? 모델이 둘이면 안 되는 조건도 없었잖아요."

그녀는 나를 안쓰럽게 쳐다보며 말했다.

"에그, 내가 말을 말아야지. 하여간 처음엔 안 된다고 했어."

소피의 곱상한 외모만 보고 그녀를 판단했다가는 큰코다치기에 십상이다.

또한 웬만큼 고집 강한 노인들도 소피를 어찌하긴 어려울 것이다.

'그녀의 할아버지가 고집으로는 지존이었거든!'

그런 노인에게 단련이 되었으니, 어찌 소피가 나이 든 사람들을 어려워하겠는가?

'저 좋다고 하는데, 내가 말릴 일도 아니고.'

그리고 내게는 더 중요한 일이 있었다.

한 여사에게 이곳에 온 이유를 설명했다.

"우리 갑돌이 옷 여분으로 여섯 벌만 더 만들 수 있을까요?"

"그렇게나 많이?"

"네, 똑같지 않아도 돼요. 분위기만 비슷하면 돼요."

나를 보며 빙긋이 웃었다.

"급한 거지?"

"네! 좀 있다가 올게요."

"알았어, 자네 것 먼저 해놓을 테니. 시간 나면 와!"

한복점을 나오는데, 한 여사의 한복을 입고 박람회장의 각 부스를 제집 드나들 듯하며 인사하는 소피가 보였다.

'원래 저렇게 인사성이 좋은 아이였던가?'

물론 그녀 같은 서양 미인이 한복을 입고, 홍보를 해준다면 좋지!

'저 봐! 지금도 사람들의 시선이 한복으로 쏠리고 있잖아!'

홀의 탁자에서 차를 마시며 쉬던 관람객들이 눈으로 계속 소피를 쫓고 있었다.

'이런! 이런! 얼른 안 가고 뭐 하는 거야? 약속이 있다면서'

미인이 있으면 좋지 않냐고?

현주 하나로도 시선이 분산되는데, 둘이나 있으면 더 분산된다고. 나한테 득이 된다면 몰라도, 지금은 그렇지 않아 보였다.

한 여사의 선택은 옳았다.

내게는 약간 독이 될 수도 있었지만.

'한 여사의 취향이 독특하네.'

서구 체형의 동양 모델은 불편해서 못 쓴다고 했으면서, 정통 서양 미녀는 좋아하는 모양이었다.

이런들 어떠하리. 저런들 어떠하리!

한복의 아름다움이 널리 퍼지기만 하면 되는 것을.

하지만 신경이 쓰였다. 사람들의 눈이 이제는 모조리 그녀에게 몰려 있는 것이 아닌가!

'이건 아니지! 이래서는 곤란해!'

"소피! 이리 와봐!"

사람들에게 인사를 하다가 내 쪽을 바라보고는 고개를 갸우뚱거렸다.

"왜요? 성훈!"

"오늘 약속 있다고 하지 않았어?"

그녀가 검지를 입술에 대고는 뾰로통한 표정을 지었다.

"아직 시간이 있어요. 괜찮아요."

그녀가 나를 보며 피식 웃었다.

"혹시? 내가 돌아다니는 게 불편한가요?"

'불편하다 뿐이겠어? 민폐라고! 사람들 시선을 다 끌어당기고 있으면서!'

저 착한 현주조차도 소피에게 못마땅한 시선을 보내고 있었다.

'당연한 거 아니야?'

그녀도 힘들게 시선을 끌었는데, 소피로 인해 그녀의 노력이 허사로 돌아갈 테니까.

'쫓아 보내는 게 최선이지만, 그게 안 된다면 내 옆에 붙어 둬야지.'

약간 편법이기는 하지만, 적어도 내 작품에의 집중도는 적어지지 않으리라.

"응, 솔직히 불편해! 얼른 일 보러 가든지, 아니면 내 옆에 붙어 있어."

"붙어 있으라뇨?"

"시선을 다른 곳으로 끌고 가지 말라고! 방해돼!"

그녀는 약 올리듯 내게 물었다.

"싫다면요?"

"흥! 내가 강제로 쫓아버릴 거야."

"딴 데로 안 가고 붙어 있으면 되는 거죠?"

"응!"

그녀가 내 옆으로 와서 팔짱을 끼었다.

"헤, 알았어요. 그럼 붙어 있을게요."

"이거 왜 이래? 지금부터 안내 시작해야 한다고."

"그래요? 흥, 그럼……."

당장 무대에 나가서 춤이라도 출 기세였다.

'젠장!'

"알았어! 자!"

어쩔 수 없이 팔짱을 열었다.

쉬는 시간이 끝나고, 관객들이 다시 내 앞으로 모였다.

'아! 귀찮아! 갑갑해!'

지금 양쪽으로 두 여자가 팔짱을 끼고 있다.

'소피는 그렇다고 치고, 현주는 또 왜 이러는 거야? 아까도 그러더니.'

신경이 쓰였지만 지금은 가이드에 집중을 해야 했다.

갑돌이의 안내가 이어졌다.

"아까는 석굴암의 겉을 봤다면 이제부터는 속을 보여드릴 겁니다."

성훈의 이 말에 한 백인이 농담을 던졌다.

"아까 우리가 본 게, 안쪽이었다고요. 갑도리 씨가 너무 오래 말을 해서 피곤한가 봐요. 이해해 줍시다."

그의 말에 관람객들도 웃으며 호응했다.

"그래요, 갑도리가 피곤할 만도 하지. 내내 저렇게 레이저를 쏘고 있으니까. 와하하!"

그 말에 갑돌이가 검지를 세우고 말했다.

"아니죠, 아까 우리가 본 것은 안쪽이 아닙니다."

"그럼 뭐라는 겁니까? 갑돌이?"

"그것의 표면입니다."

"표면? 껍데기? 흙으로 덮여 있는 그것?"

"돔이니까, 위에서 누름돌을 얹어 뒀겠지?"

"하지만 그걸 굳이 볼 필요가 있을까……."

그들의 말도 일리가 있었다.

하지만 보지 않고는 믿지 못한다고 했던가?

갑돌이의 말이 이어졌다.

"백문이 불여일견! 보여드리죠."

갑돌이의 손에서 레이저가 벽으로 뻗어 나갔다.

"저 벽에 뭐가 있나?"

그들의 궁금증은 오래가지 않았다.

위잉! 척!

절대 움직일 것 같지 않던 화강석의 벽면이 흡사 누르기라
도 한 것인가?

저절로 안으로 밀려 들어갔다.

그와 동시에 들리기 시작한 굉음.

기이잉! 철컥!

기이잉! 철컥!

거대한 동력 장치가 움직이는 소리와 날카로운 기계음들
이 관중들의 귀를 때렸다.

'물론 연출이지! 아무런 음향도 없이 쉭 열리면 재미가
없다고.'

이 사람들은 박람회를 즐기러 온 사람들이니까, 즐기고 가
야 하지 않겠는가?

그들은 갑자기 웬 기계 소리가 들리는가 하며, 모니터에
눈을 기울이고 있었다.

"뭔가 대단한 걸 준비했나 본데?"

그 순간, 석굴암을 덮고 있던 흙더미들이 뒤로 스르륵 밀
려나기 시작했다.

"와! 멋있는데?"

"이런 장치를 해뒀다는 말이야? 준비가 철저한걸?"

"그래, 계속 설명만 했으면, 지루했을지도 몰라!"

재미있다는 듯, 석굴암의 변화를 지켜보며 웃던 그들이 경악성을 질렀다.

　실제 석굴암에서는 절대로 볼 수 없는, 석굴암의 비밀이 지금 개봉되고 있었다.

　'이게 석굴암을 석굴암으로 존재할 수 있는 비밀이지.'

　원통 위에 이글루를 이고 있는 듯한 모습!

　그리고 반구형의 돔을 뚫고 길게 튀어나온 돌기둥들!

　이글루에 돌기둥을 박아 넣은 듯, 무시무시한 모습이었다.

　"엇! 그런데 저게 뭐야?"

　"왜 저런 게 속에 들어 있는 거야?"

　"안에서 봤을 때는 전혀 몰랐는데? 어떻게……."

　"음, 무시무시하군. 안에서 봤을 때는 천국이나 다름없었는데, 사실은 이런 험악한 뼈대를 가지고 있었다니."

　"맞아요. 만약 이 설명을 듣지 않았다면, 그냥 평범한 돔인 줄 알았을 겁니다."

　겉과 속의 판이한 반전!

　잠시 그들이 할 말을 잃었다.

　그리고 그들끼리 대화를 나눴다.

　"왜 이렇게 만들었지?"

　"그러게, 너무 어울리지 않잖아."

　"다른 이유가 있는 거 아닐까? 장식이라든지……."

　"예끼! 이 사람아, 장식이라면 바깥으로 보이게 드러냈겠지. 저렇게 흙으로 덮어 놓았겠어?"

하지만 그들이 알아낼 수 있는 것은 아무것도 없을 것이다.

그들은 갑돌이에게 도움의 눈빛을 보냈다.

'모두 궁금하겠지. 왜 보이지도 않는 부분에 저렇게 신경을 썼을까?'

갑돌이의 설명이 이어졌다.

"저 튀어나온 돌기둥의 명칭은 쐐기돌입니다."

"쐐기돌?"

"우리는 무언가를, 혹은 누군가를 옴짝달싹 못 하게 고정시킬 때, 쐐기를 박는다고 합니다."

"그렇게 말하곤 하지."

관람객들이 고개를 끄덕였다.

"이 쐐기돌을 사용함으로써 돔 구조의 약점을 보강했습니다."

"돔 구조의 약점? 그런 게 있었어?"

"그럴 리가 없잖아. 돔은 외부의 압력에 가장 효율적인 구조라고."

갑돌이의 말을 믿을 수 없다는 반론을 펴는 사람이 있었다.

"자료 화면을 봐주시죠."

모니터에는 돔의 3D 영상이 있었다.

"돔은 단단합니다."

그들이 말없이 고개를 끄덕였다.

당연한 말이니까.

"하지만 돔을 이룬 석재 중에서 어느 하나만 헐거워지면, 돔 전체가 불안해집니다. 결국 돔 자체를 붕괴시키는 원인이 되죠. 이렇게 말이죠."

우르르릉. 쾅!

모니터에서 단단해 보이던 돔이 맥없이 무너져 내렸다.

단 하나의 돌을 슬쩍 밀어 올려버린 것으로 말이다.

붕괴를 확인한 관객들이 고개를 끄덕였다.

"저럴 수가 있었군."

"확실히 그렇기는 하죠. 사고가 나면 큰 사고가 났었죠. 특히나 지진이 있을 때면 더더욱!"

갑돌이가 쐐기돌을 포인터로 찍었다.

"하지만 이 쐐기돌이 있기에, 이 돔은 더욱더 완전한 돔이 될 수 있습니다."

조용히 집중하는 관객들에게 말했다.

"그 이유는 이 쐐기돌이 지렛대의 역할을 하기 때문입니다."

"지렛대?"

영상으로 설명이 실제로 보여지고 있었다.

"보시다시피! 이 쐐기돌이 윗돌이 아랫돌에 전하는 힘을 상쇄하기 때문에, 이 석굴암은 아랫돌이 먼저 무너지지 않는 한, 돌이 따로 아래로 떨어질 수 없도록 설계를 한 겁니다.”

그제야 이해한 관람객이 손뼉을 짝 쳤다.

“아! 그래서 저렇게 옥석을 채운 거로군.”

“저리 받쳐주는데, 아랫돌이 빠질 리가 없지!”

“지진으로 땅이 완전히 쪼개지지만 않는다면 절대로 무너지지 않겠어. 대단해!”

다른 한편으로는 신음성을 토해냈다.

“돔은 완벽하다고 생각했는데, 그건 자만이었군.”

“천오백 년 전에 저런 생각을 할 수 있었다니.”

“설마 이런 걸 한국에서 보리라고는 생각도 못 했어요. 발상의 전환이 놀라울 정도로군.”

“그 까다로운 유네스코가 통과를 시킨 데는 이런 숨겨진 이유가 있었군.”

“박람회가 끝나는 대로 한 번 가 봐야겠어!”

“박람회를 한다기에 예의상 와본 거였는데 안 왔으면 크게 후회할 뻔했어!”

그 말에 답장이라도 하듯, 한 백인이 말했다.

“그럼! 오기를 백번 잘했어! 내일은 우리 아들도 데리고 와야겠는걸. 이런 거라면 환장을 하거든!”

“나도 그럴 생각인데. 하하하.”

“어떻게 이런 상상도 못 한 걸 보여 줄 생각을 했던 거지?

갑도리 씨, 대단한데!"

그가 나를 보며 굵은 엄지를 척 세웠다.

"그러게 말이야. 갑도리 씨! 최고야! 이런 신기한 걸 보여주다니. 얼른 다음 걸로 넘어가자고! 계속 따라갈 테니까."

관객들의 반응도, 호응도 다양했다.

흐뭇한 미소가 내 얼굴에 떠올랐다.

'이 정도면 첫 단추치고는 잘 끼운 거잖아. 안 그래?'

원래의 석굴암은 숨 쉬는 동굴이었다고 한다.

인공적인 동력이 없어도, 스스로 호흡하며, 부식되지 않도록 설계된 것이라는 말이다.

그 원리는 석굴암 하부의 지하수와 외벽을 둘러싼 지름 5자 옥석의 2중 배치에 있었다.

신라 혜공왕 10년(774)에 완성되어 그 모습을 유지했다 하며, 전란의 역사 속에 그 모습을 감추었다가 1907년에 황폐한 채로 발견되었다 한다.

1913년, 일본인들의 주도로 해체 재보수하는 과정에서 석굴암은 치유할 수 없는 상처를 입게 된다.

애초의 설계 원리를 깡그리 무시되었고, 불필요해 보이는 지하수를 밖으로 흘려보냈고, 옥석은 버려졌다.

그리고 당시의 최신 공법인 시멘트를 사용했다.

석굴암 외벽에 3자의 석재를 두르고, 그 위에 2m의 콘크리트로 덮었다.

무식하면 용감하다는 말은 이럴 때 쓰는 것이리라.

이때 사용한 시멘트가 석굴암 주재료인 화강석을 부식하게 만드는 원인이 되었고, 이제는 인공적으로 조절하지 않으면, 그 원형을 유지하기 어려울 정도가 되었다.

어쩌면 일본인들의 자만, '아시아에서 유일하게 문명 국가가 된 일본이 앞으로 조선을 영원히 지배하게 될 것이다. 우리의 뛰어난 문명을 보여 주자. 미개한 나라의 문화재를 우리 손으로 고쳐 줌으로써 일본의 위대함을 보여 주고, 그들 스스로 우리에게 복종하게 하자!'라는 그들의 자만이 아니었다면, 이렇게까지 되지 않았을 것을.

한국의 것은 당연히 미개한 것이라 예단했기에, 왜 이렇게 지었을까 하는 고려 따위는 하지 않았다.

그들의 눈에 불필요해 보이는—하지만 그 가치를 보존하기 위해서는 꼭 필요한—지하수와 옥석을 제거하고, 시멘트로 덮었다.

겉으로 보이는 외형은 살렸을지 모르나, 그 속은 썩어 문드러져 가는 영원히 병든 석굴암을 만들어 냈다.

그들 일본인들에게 석굴암이란, 부처를 모시는 법당이 아니라, 그저 전쟁의 전리품일 뿐이었기에, 그런 만행이 가능하지 않았을까?

천 년 문화에 대한 존중이 있었다면, 우리 민족이 그들의 간섭을 받지 않을 힘이 있었더라면, 지금과는 좀 다르지 않았을까?

하지만 이 또한 무의미한 가정이리라.

79장
음모

　그의 집무실로 돌아온 마에다는 수치심에 얼굴이 벌겋게 달아올랐다.

　'치사한 녀석! 감히 나의 약점을 잡으려 하다니!'

　그는 억울했다.

　깝또리는 자신과 정면 승부를 하지 않았다.

　그저 주변의 상황을 이용해서, 사람들을 선동해서 자신을 바보로 만들었다.

　'정녕 나를 설득시키려 했다면, 그렇게 해서는 안 되는 거였지. 정중하게 내 논리에 반박을 했어야 했다고.'

　성훈이 알았다면, '뒤에 숨어서 트집이나 잡는 놈이 승부를 논해? 당장 입을 뭉개놓겠어!'라고 방방 뛸 일이었지만,

마에다는 아무리 생각해도 억울했다.

"이대로 물러설 수는 없지. 칙쇼! 내 자존심이 용서하지 않는다고!"

생각 같아서는 당장 전문가를 불러들이고 싶지만 일에는 순서가 있는 법!

'먼저 증거를 확보해야지!'

그는 심복인 일등 서기관 스즈키를 호출했다.

"부르셨습니까? 영사님!"

마에다가 근엄한 얼굴로 말했다.

"스즈키 군, 자네가 우리 일본을 위해 꼭 해야 할 일이 있다."

그의 말을 들은 스즈키가 작은 한숨을 내쉬었다.

'휴. 또 무슨 일을 시키려고.'

거창하게 나라를 들먹일 때의 마에다는 결코 손쉬운 일을 지시하지 않았다.

할 수 없다고 말하고 싶었지만, 계급이 깡패라 하기 싫은 일도 해야만 할 때가 있지 않던가?

지금이 바로 그때였다.

'아마 박람회의 일과 관련된 것이겠지' 하고 짐작을 해볼 뿐이었다.

그가 마에다와 함께한 일한 지도 일 년이 넘었으니, 이제 그의 숨소리만 들어도 기분을 짐작할 수 있었다.

척하면 척, 착하면 착!

꼭 말을 해야 상관의 기분을 알겠는가?

'제발 엉뚱한 것만 시키지 말아주십쇼!'

아니나 다를까, 예상했던 말이 나왔다.

"스즈키! 내가 아까 한국 전통문화 박람회를 다녀왔다네."

"아! 그러셨습니까? 저도 총영사님을 보좌해 따라갔었어야 했는데, 죄송합니다."

그 말에 마에다는 얼굴을 붉히며 손사래를 쳤다.

"별로 볼만한 것도 없었어. 이런 후진국에서 하는 것들이 다 그렇지. 뭐 볼 게 있겠어?"

"아! 그랬습니까?"

스즈키는 말하지 않았지만, 마에다가 박람회에 참석해서 어떤 망신을 당하고 왔는지, 외교관저의 사람들은 모두 알고 있다.

주변의 반응은 늘 그러하듯, 한결같았다.

'어떻게 총영사라는 사람이 그런 품위 없는 행동을 할 수 있어요? 부끄럽지도 않나요?'

'그 사람에게 교양 있는 행동을 희망하는 게 그렇게 어려운 일인가요?'

'그런 사람이 내 상관이라니, 낯부끄러워서 바깥을 나갈 수가 없어요. 스즈키 서기관이 한마디 해 주시면 안 될까요?'

그 말에 스즈키가 한숨을 폭 내쉬었다.

'휴. 나라고 당신과 다르겠습니까?'

스즈키가 보기에, 세상에는 두 가지 종류의 사람이 있었다.

말이 통하는 사람과 마에다 같은 사람.

이미 다른 나라의 영사관에도 오늘의 일은 파다하게 소문이 퍼져 있었다.

모르는 것은 단지, 마에다 본인뿐!

외교관저의 사람들도 모두 알지만, 총영사라는 그의 지위 때문에 알고도 모른 척, 쉬쉬하고 있을 뿐이었다.

'역시 그 일이었군.'

스즈키의 찌푸려지는 미간은 안중에도 없는지, 마에다가 말했다.

"그런데 말이야. 내가 이상한 걸 보고 왔다고."

"어떤 것 말씀이십니까?"

스즈키가 친절하게 웃으며, 그의 비위를 맞췄다.

"석굴암인가 하는 동굴의 모형을 만들었다는데, 그게 너무 뛰어나다는 말이야!"

뛰어난데 뭐가 이상하다는 말인가?

"저는 도무지 무슨 말씀이신지…….."

"이 나라의 미개한 장비와 손재주로 그런 세부적인 아름다움을 살리는 것은 불가능해! 자네는 가능하다고 생각하나?"

마에다가 바라는 것은 동의였겠지만, 스즈키라고 생각 없는 바보이겠는가?

"굳이 그렇게 심각하게 생각하실 필요가 있겠습니까? 이제 한국도 예전과는 많이 바뀌었습니다. 삼송이 쏘니를 반도체로는 완전히……."

"그만! 스즈키 군."

마에다가 역정을 냈다.

"자네가 지금 나를 가르치는 건가?"

"그게 아니라, 마에다 총영사님. 제 말은 그게……."

"구차한 변명 따위는 필요 없어! 닥치게! 스즈키."

이리 말하는데 무슨 충언을 한다는 말인가?

"아! 죄송합니다. 제가 너무 주제넘게 나서서."

"내가 자네에게 설명까지 해야 하는 건가? 자네는 내가 시키는 대로만 하면 되는 거야!"

스즈키가 자세를 바로 하며, 즉시 답했다.

"네! 알겠습니다."

"명령이다. 박람회에 잠입해서, 아까 내가 봤던 3D 영상과 한국 석굴암에 대한 주요 극비 자료들을 가져와라."

"밑도 끝도 없이 무슨……."

"나가 봐! 그걸 구할 때까지는 돌아올 생각도 하지 말라고."

가슴이 답답해져 왔다.

'이런 놈 밑에서 일을 해야 하는 건가? 왜 내 업무랑 상관도 없는 걸 강요하냐고!'

그러나 어쩌겠는가?

직장 생활 어디라고 다르겠는가?

축 처진 어깨를 보며, 그도 미안했던 모양이다.

"대신 이 임무에 성공하면, 책임지고 일 계급 특진에, 일 개월 유급휴가를 주지."

그의 눈이 동그래졌다.

'아니, 그럴 정도라면 얼마나 힘든 일이 되는 것일까?'

감도 잡히지 않았다.

'이건 분명히 실패하는 거라고. 안 돼!'

그의 포상을 귓등으로 들으며, 사무실을 빠져나왔다.

크게 심호흡을 했다.

"칙쇼! 고노야로! 씨네바 이이노니(빌어먹을! 이 새끼! 뒈져 버렸으면)!"

'이제 석굴암을 마무리 지어야지.'

석굴암의 제작 과정을 알리는 영상이 흘러나왔다.

대금과 가야금 소리가 어우러져, 편안한 분위기를 자아냈다. 그 장단에 맞춰서 비어 있던 땅 위에 좌대석이 하나씩 올라가기 시작했다.

좌대가 완성되었을 때, 그 위에 가부좌를 튼 본존불이 놓여겼다. 불상을 중심으로 다듬어진 화강석들이 낮게 자리를 잡았다.

하지만 세워진 돌만으로는 위태롭다.

이것을 보완하기 위함인가?

돌의 이음부에 나비 모양의 홈이 파이고, 그 홈에 납으로 만들어진 은장이 삽입된다.

갑돌이의 설명이 이어졌다.

"저건 은장기법이라고 하는 것입니다."

은장기법이란, 화강석들을 연결하는 부위에 나비 모양의 홈을 파내고, 납으로 동일한 모양을 만들어 끼워 넣는 것을 말한다.

"이 방법은 돌과 돌의 접합부를 더욱 강하게 조이도록 만들죠."

관람객들이 고개를 끄덕였다.

"이래서 천오백 년이 넘는 세월을 굳건하게 견딜 수 있었던 모양이오."

"돌 하나 쌓을 때도, 이렇게 정성을 들였으니, 그 신심이 어떠했는지는 굳이 직접 보지 않아도 알 수 있겠구려."

"한국에 이런 문화재가 있었다니, 그동안 한국에 대해 꽤나 알고 있다고 생각했는데, 부끄럽기 그지없구려."

"그러게 말입니다. 조금만 더 관심이 있었더라면, 알 수도 있었을 터인데."

관람객들의 감탄사가 터져 나왔다.

굳이 설명할 필요가 없었을지도 모른다.

보이는 것만으로도 충분히 설명이 가능했으니까.

하지만 그런 것은 중요하지 않다는 듯, 다시 돌이 그 위를 덮었다.

하지만 이번의 화강석은 조각이 되어 있었다.

본존불의 바로 뒤에 십일면관음이 자리하고, 좌우로 하나씩 조각벽을 첨가해 나갔다.

십(十)나한으로부터 시작하여 보살상, 천부상, 사천왕과 금강역사가 자신의 자리를 잡았고, 예배를 드리는 전실에는 팔부신중이 위치했다.

부처의 자비로 가득한 불국정토를 꿈꿨던 신라인들의 이상향이 이곳 석굴암에 새겨졌다.

"이것으로 석굴암 안내를 마칩니다. 안내자 갑돌이었습니다."

갑돌이가 관람객을 향해 정중히 허리를 숙였다.

사람들의 박수와 고맙다는 인사말이 들렸다.

"지금까지 본 한국의 문화재 중에서 가장 재미있고 유익한 설명이었소. 갑도리."

"난 한국에 이런 문화재가 있었다는 걸 오늘에야 알았소."

"갑도리 씨의 석굴암 소개는 나에게 색다른 감동을 안겨주었소. 이 박람회가 끝나고 나면, 기필코 석굴암을 둘러보고

싫다는 생각이 들었소."

그들의 말에 고개 숙여 인사를 했다.

"관심을 가져 주셔서 감사합니다. 직접 눈으로 확인하시면, 그 느낌 또한 남다를 겁니다."

그리고 우리 부스 끝을 가리키며 말했다.

"저기에 우리의 출품작에 관련된 영상을 시디로 제작해 두었으니, 참고하시면 더욱 의미 있는 여행이 될 것이라 생각됩니다."

"오! 그런가? 얼른 가서 구매해야겠군."

성질 급한 일단의 관객이 그곳으로 걸음을 옮겼고, 나머지 관람객들도 휴식을 위해 홀로 이동했다.

'휴! 무슨 폭풍이 지나간 것 같군!'

그리고 나의 양 옆자리는 그것과는 또 다른 의미로 뜨거웠다. 서로 눈치싸움이라도 하듯, 내 옆에서 전혀 물러나지 않았거든!

내가 아무리 눈치가 없는 인간이라도, 둘이 사이가 좋지 않은 것은 충분히 알 수 있었다.

'이 둘은 왜 안 가고 여기서 버티고 있는 거야?'

시선 몰이에는 더할 나위 없이 좋은 소피와 현주였지만, 둘의 충돌은 내게 이득 되는 것이 없었다.

'도움받은 게 있는데, 마냥 가라고 할 수도 없고. 이거 참.

난감하네.'

그녀들을 좌우로 돌아보며 말했다.

"현주, 소피! 둘 다 수고했어요."

그리곤 그들에게 잡혀 있는 팔을 슬그머니 빼며 말했다.

"난 갑돌이 옷이 어떻게 되었는지 보러 가야 하는데, 둘은 어떡할 거야? 쉬는 것도 좋겠고."

소피가 말했다.

"괜찮아요. 제가 따라가서 도울게요."

"아니, 소피는 한국에 도착한 지도 얼마 안 됐잖아. 그냥 쉬지그래?"

내 말에 소피가 나를 잡아먹을 듯 눈을 흡떴다.

현주도 걱정이 되는 듯 말했다.

"그래요. 소피아. 지금 막 비행기 타고 와서 시차 적응도 안 되었을 텐데, 그냥 쉬세요. 성훈 씨 일은 제가 도울게요."

현주의 말에 소피도 미소로 대응했다.

"괜찮아요. 아까 그렇게 격한 춤을 춘 사람보다야 피곤하겠어요? 현주 씨야말로 쉬시는 게 어때요? 땀도 좀 난 것 같은데."

그 말에 현주가 급히 옷에 코를 갖다 대었다.

"성훈 씨, 저 잠깐 화장실 좀 다녀올게요."

급히 몸을 돌리는 그녀에게 소피가 말했다.

"현주 씨, 천천히 와도 괜찮아요."

싸우려면 둘이 어디 가서 결판을 낼 것이지, 왜 내 앞에서 그러는 것인지.

뭔가 둘 사이에 이상한 기류가 흐르는 것을 느낄 수 있었다.

'정말. 여자란 알다가도 모르겠군. 아까는 그렇게 좋다고 하더니.'

얼른 벗어나는 게 상책이었다.

"소피도 따라올 필요 없어. 그 정도는 나 혼자서 충분히 할 수 있으니까!"

"하지만 돕고 싶은 걸요?"

"정 돕고 싶으면……."

소피의 얼굴에 웃음꽃이 활짝 피었다.

부스 끝의 매대를 가리키며 말했다.

"저기 가서 시디 판매를 도와주면 어떨까? 아무래도 소피가 있으면 더 잘 팔리지 않을까?"

둘을 보내고, 한복점으로 걸음을 옮겼다.

가는 중에 기자들이 내게 말을 걸었다.

"성훈 씨, 잠시 취재해도 괜찮을까요?"

"왜요? 완전히 끝나고 하시지 그러세요? 아직 많이 남았는데."

"실은 곤란한 일이 있어서 그래요."

"뭔가요?"

"오늘 당신이 보여준 것은, 지금까지 우리가 봐 왔던 한국 전통건축과는 확연히 다릅니다. 그 프레젠테이션에 있어서는 특히나요."

이 사람들도 그런 건 잘 본 적이 없었을 테니, 당연한 말인지도 모른다.

"그런데 왜요? 문제가 있습니까?"

영문을 몰라서 물었다.

문제 될 것이 뭐가 있는가?

"이 친구야! 결론을 먼저 말하라고 빙빙 돌리지 말고. 쯧쯧. 사실은 사진을 찍을 타이밍을 자꾸 놓쳐서 그래요."

"타이밍이라뇨?"

"당신이 뭔가를 할 때, 셔터를 눌러야 하는데, 셔터를 누르자니, 하는 말을 놓치게 되고, 말을 듣자니 셔터를 누를 수가 없고. 이거야 원."

"그러게. 당최 뭐가 나올지를 알 수가 없으니……."

그들이 어깨를 으쓱하며, 쓴웃음을 지었다.

"문제는 지금까지 제대로 건진 샷이 하나도 없다는 거죠."

"그도 그럴 수밖에 없는 게, 당신의 이번 전통건축의 표현은 지금까지와 확연하게 차이가 납니다."

"그래요. 아무도 로봇을 이용해서까지 저런 방법을 쓰지 않았다고요."

"우리도 한국에 오래 있었지만, 항상 한국 전통건축 박람회는 고리타분했거든요. 그래서 이번에도 그럴 거라 생각했고, 끝날 때나 참석을 하려고 했었습니다."

그렇게 생각할 만했다.

한국의 전통건축은 서양보다 화려하지도 못하고, 그 규모가 웅장한 것도 아니었으니, 굳이 기사화하기에 메리트가 없었을 것이다.

뭔가 새롭거나 대단하거나 사람들의 흥미를 끌 만한 것이 있어야, 신문의 일면을 내어줄 것 아닌가?

그리고 그런 것을 특종이라고 부른다.

"그런데 이번에는 지루할 틈이 없었어요. 오히려 박진감이 넘치더군요. 완전히 감동했어요."

"그런데 오늘 우리나라 대사님이 보시고 꽤나 감명이 깊으셨던지, 당장 취재를 하라고 하시더라고요."

그는 뒤통수를 긁적이며 말을 이었다.

"그렇게까지 말씀을 해 두셨는데, 결과가 이래서야……. 미움이나 받지 않을지 몰라!"

"당신들은 제 작품에서 최고의 장면을 찍기를 원하시는 거군요."

그들이 고개를 끄덕였다.

나로서도 대찬성이었다.

"그렇지만 매번 그런 장면을 놓쳐서야……."

안타까움을 토로하는 그에게 말했다.

"도와 드리죠. 제가 신호를 하면 그때 찍으시면 됩니다. 저도 제 작품이 잘 나오면 좋으니까요."

"이렇게 감사할 수가! 반드시 일면에 나오게 하겠습니다."

그들이 내 손을 잡고 좋아했다.

찰스가 물었다.

"혹시 저희가 해줬으면 하시는 게 있나요? 이리 도움을 받았으니, 우리가 해줄 수 있는 것이 있다면 허심탄회하게 말씀해 주십시오."

잠시 생각하다가 말했다.

"타이틀에 이렇게 해주세요. 〈한국의 전통건축, 세계 진출을 위한 첫걸음을 내딛다〉라고요."

둘이 서로를 마주 보며 말했다.

"그 정도는 얼마든지 해드릴 수 있죠."

"암! 당연히 그렇게 해드려야죠."

시디를 나눠 주는 동안에도 소피아의 눈은 기자들과 이야기를 나누는 성훈에게 가 있었다.

곁눈질로 보며 웃던 승범이 물었다.

"소피아 양, 성훈과는 어떻게 알게 되신 거예요?"

그 질문을 기다리기라도 했다는 듯, 모두의 귀가 그녀의 대답을 기다렸다.

사실 모두가 궁금해하는 점이었다.

도통 여자에는 관심도 없었던 성훈이 어떻게 저런 미인과 알게 되었을까? 하는 궁금증 말이다.

'머리도 좋고, 몸도 좋은 녀석이⋯⋯. 이런 미인까지! 세상은 불공평해!'

그래도 '뭔가 노하우가 있지 않을까?' 하는 부러운 마음에서 나온 질문이었다.

소피아는 부드러운 눈빛으로 말을 꺼냈다.

"우리는 롱샹에서 처음 만났죠."

기억을 더듬듯 먼 곳을 응시하는 소피의 표정은 더없이 행복해 보였다.

"만리타국에서 그렇게 만나다니, 운명이었군요."

승범의 말에 소피의 얼굴이 밝아졌다.

"그리고 결국에는 성훈에게 갚을 수 없는 빚을 지고 말았어요."

승범이 심술궂게 물었다.

"지금 소피아의 표정은 빚진 얼굴이 아닌데요?"

"말이 그렇다는 거죠."

"그런데 어떻게 한국말을 그렇게 잘해요. 유럽 쪽에서는 가르치는 학원도 없을 텐데."

"성훈과 더 친해지고 싶었으니까요."

"결국은 성훈 때문에 한국말을 배운 거네요."

소피의 얼굴이 붉어졌다.

"언제쯤 성훈과 결혼할 생각이에요?"

소피아는 얼굴을 홍당무처럼 붉힌 채 말을 돌렸다.

"저기 손님 오셨잖아요. 쉬는 시간 동안 다 나눠주지 못하면, 성훈이 가만있지 않을걸요!"

"쳇!"

소피가 말을 돌린다는 것을 승범이라고 모르랴.

어쩔 줄 모르는 그녀의 반응에 모른 척 넘어갈 뿐이었다.

"정민아, 우리 완전 대박이다."

보람의 말에 정민이 고개를 끄덕였다.

"네. 솔직히 시작이라서, 끝까지 이 인기를 유지할지는 미지수지만, 지금만 보면 뭐……."

"대상은 떼놓은 당상이지."

보람은 주변을 둘러보며 말을 이었다.

"막말로 내 눈에는 경쟁자가 없어 보인다."

맞수로 한복점이 있기는 하지만, 사람들의 눈길을 끄는 규모가 달랐다.

정민이라고 다른 의견이 있으랴!

수많은 부스 중에서도 북적거리는 곳은 자신들의 건축 모형 부스밖에 없었다.

"대체 성훈 선배는 어떻게 저런 생각을 했을까요? 로봇도 그렇고, 건물 움직이는 것도 그렇고."

비록 한 달간의 짧은 여정이었지만, 그들은 지옥을 맛봤다.

"그러게! 처음에는 엄청 원망 많이 했었는데."

"정말 이럴 거라고 예상했던 걸까요?"

"모르지. 저놈 속을 알 수 있나?"

"아무도 이렇게 할 생각을 못 했었는데."

보람이 체념하듯 말했다.

"그냥…… 우리랑은 다른 놈인 거지. 생각이든 뭐든."

'선배가 많이 힘들었나 보네.'

성훈과 대립각을 세우며, 라이벌로 여기던 패기 넘치는 보람은 사라지고 없었다.

정민이 피식 웃으며 물었다.

"선배. 현재건설에 들어가면 계속 성훈 선배랑 부딪히겠죠?"

보람이 고개를 끄덕였다.

"아무래도 그렇지 않겠어? 같은 회사니까."

"그럼 보람 선배 인생에 방해가 되지 않을까요?"

"왜? 그게 무슨 말인데?"

"매번 승진할 때마다, 성훈 선배 뒤로 밀려날 것 아녜요. 저야 뭐 한 해 뒤에 들어갈 계획이니까, 기수가 달라서 큰 상관이 없겠지만."

그 말에 승범이 어이없는 웃음을 지었다.

"이게 더위 먹었나? 무슨 말도 안 되는 허튼소리를 하고 있어. 그놈은 나하고 노는 물이 아예 다를 건데!"

그가 정민을 놀리며 말을 이었다.

"너도 봤잖아. 이사들이랑 딜하고 다니는 거. 그런 놈이 과장, 부장에 관심이나 있겠어?"

"그럼 성훈 선배한테 질투도 안 나세요?"

같은 나이에 비교를 당하면 기분 나쁘지 않느냐는 말이리라.

하지만 비교되는 것도, 비슷한 레벨에서나 가능한 일!

'비교 대상이라도 되면 좋겠다.'

보람이 시디를 나눠주며 말했다.

"질투할 시간이 있으면, 놈이 시킨 거나 제대로 해치울 고민을 하는 게 승진 가도에 훨씬 도움이 될걸."

보람은 얼굴이 달아오르는 것을 느꼈다.

대상을 타고, 현재건설과의 인연이 있는 것만 해도 어마어마한데, 아까는 쿠웨이트 왕자와 친하게 지내는 것도 확인하지 않았던가!

'그런 건 기억에서 지워달라고. 녀석아. 잠시라도 저런 괴물 같은 녀석을 라이벌로 생각했다니. 으으…… 낯 뜨겁다고.'

"그나저나 여기만 대성황이네요."

쉬는 시간이라 가이드 하는 사람이 없었지만, 관람객들의 시선은 여전히 건축 모형과 모니터를 향해 있었다.

"저거 보이지? 저 땅이 뒤로 스르륵 물러나면서, 석굴암의 숨어 있던 본 모습이 나왔다고. 으으. 지금 생각해도 전율이 으으……. 영화를 보는 기분이었다니까. 글쎄!"

석굴암의 가이드를 본 사람인 모양이었다.

그 옆을 지나가며, 자신이 본 석굴암의 내용을 무용담처럼 말했다.

"저건 또 뭐야? 팔상전?"

"웅? 이것도 신라 시대에 만들었던 거야?"

"그러네. 석굴암보다도 빨리 지어졌는걸!"

"난 서울에만 있어봐서 한국의 문화재라고 하면 남대문과 경복궁만 생각을 했었거든. 기껏해야 오백 년의 문화가 아니겠냐고. 그런데 그런 것이 아니더군."

그가 고개를 끄덕이며 말했다.

"그러게. 고려와 신라까지 하면 거의 2,000년이 훨씬 넘은 시간이라고 하더군."

"참 대단해. 그 시간 동안 자신만의 문화적 주체성을 가지고 살아남았다니."

"하긴. 한글만 해도 남다르지. 이상한 나라야."

설명을 읽다가 다른 말을 발견했던 모양이다.

"이것 봐! 임진왜란 때에 불타 없어졌다가 다시 지었다고 하는군."

"이번에도 일본이야? 석굴암도 그렇게 망쳐놨다고 하더니. 쯧쯧."

"일본은 왜 뻑 하면 한국을 침략했을까?"

"아무래도 가장 가까운 나라라서 그런 것이 아닐까?"

"나도 예전에는 한국의 국력이 약해서 그렇다고 생각했다네. 또 한국인의 성정 자체가 침략하는 걸 좋아하지 않으니."

"그건 일리가 있는 말이지."

"그런데 지금은 생각이 바뀌었어."

"어떻게 말이야?"

"쯧쯧. 일본은 한국이 부러워서 그런 거야. 이런 문화재들이 있는 게 말이야."

"크. 일본 사람들이 들으면 열 좀 받겠는걸?"

"들으라지. 뭐. 자국 문화의 뿌리가 된 고대 문화에 대해 존중하지는 못할망정, 무식하게 전쟁으로 훼손시키고, 힘으로만 빼앗으려 드는 놈들은 그런 말을 들어도 싸!"

"그런데 임진왜란을 도자기 전쟁이라고 부른다고도 한다던데?"

"그게 무슨 말인가?"

"땅이 탐났던 게 아니라, 도자기가 탐나서 그걸 훔치려고 침략을 했다는 말이지."

"에이. 설마……."

"실제로 임진왜란 때 가장 많이 끌려간 사람이 도공이라는 기록도 있었다고."

한국에 대해 관심을 가지는 사람이 점점 늘어나고 있었다.

마에다가 분노를 삼키며 각오를 했다.

'증거만 잡히면, 두 번 다시 얼굴을 들지 못하게 만들어 주마.'

한 시간이나 채 지났을까?

스즈키가 돌아왔다.

'아니! 벌써 돌아온단 말이야?'

경위를 물어볼 것도 없었다.

벌떡 일어나 고함을 질렀다.

"빠가야로! 끈기도 없는 녀석! 내가 그렇게 쉽게 포기하라고 가르쳤나? 엉?"

상관이 시켰으면, 설령 그게 이치에 부합하지 않거나 자신의 뜻과 다르다고 해도, 땅이 갈라지고 하늘이 무너진다고 해도, 명령을 수행해야 한다고 배웠고, 그렇게 살아왔다.

'그런데! 한 시간도 안 돼서 포기해? 이렇게 나약한 정신을 가졌으니, 한국 따위에게 추월을 당하는 게 당연하지. 멍청한 놈들!'

실망감만큼이나 분노 또한 컸다.

"내가 자네만 할 때는 말이야, 일하라면 일했고, 죽을 자리에 뛰어달라고 해도, 죽을 각오를 했다. 그렇게 일본의 경제를……."

스즈키가 작은 한숨을 내쉬었다.

'휴. 또 확인도 안 해 보고.'

하급자의 충성은 상급자의 신임과 인내에 의해 만들어지는 법!

허나 마에다는 인내할 생각은 추호도 없어 보였다.

마에다의 반응에 실망한 스즈키는 저도 모르게 안색이 찌푸려졌다.

그게 더 화를 돋운 것인가?

마에다가 의자에서 벌떡 일어났다.

"고노야로. 네가 감히 내 앞에서……."

그는 품에서 시디 한 장을 꺼내어 마에다의 책상에 올려놓았다.

"말씀하신 자료. 구해 왔습니다."

"으잉! 정말인가?"

급히 시디를 집어드는 마에다의 눈은 튀어나올 듯 커져 있었다.

"어떻게……."

믿을 수 없다는 눈으로 스즈키를 노려보았다.

"아까 보셨다는 것과 같은 겁니다. 저도 확인해 보고 왔으니, 확실할 겁니다."

"미처 확인도 하기 전에 화를 내서 미안하다. 하지만 내가 실수를 하기 전에 미리 내놓지 않은 귀관의 잘못도 분명히 있다."

'그렇지. 그래야 마에다지.'

스즈키가 재깍 고개를 숙였다.

"네. 저의 실수였습니다. 앞으로는 먼저 내어놓도록 하겠습니다."

"좋아. 그런 태도!"

'후. 이럴 때는 말꼬리를 물고 늘어져 봐야 득 되는 게 없다고.'

자신의 상관 마에다는 옹졸한 인간이었다.

그의 기분이 좋을 때, 빨리 보상이나 얻고 사라지는 게 상책이었다.

'내가 시디를 어떻게 구해 왔는지를 알게 되면, 한 달의 유급휴가와 특진이 날아가겠지.'

아니!

오히려 자신을 농락했다고 지랄 발광을 할지도 모르지.

시디를 얻게 된 경위를 사실대로 얘기할까 고민하다가 그는 미련을 접었다.

'그가 원한 건 시디지, 그 경위가 아니잖아.'

마에다는 무슨 첩보작전을 하면서 구해온 것으로 알겠지만, 사실 부스에 가서 돈 주고 사온 것이었다.

그것도 거의 끝물에 가까스로 말이다.

지금 있는 시디가 다 팔린 뒤에 신청한 사람들은 우편으로 받게 될 것이라고 했다.

'더 이상 이 시디가 박람회에서 나돌 일은 없다는 말이지.'

이 사실을 알게 되면, 마에다는 분명히 일 계급 특진과 한 달의 휴가는 과하다고 생각을 할 것이고, 그걸 꼬투리 잡기 위해 없는 실수라도 만들어 낼 인간이었다.

그것도 한 달 유급휴가와 특진을 충분히 상쇄할 만큼 큰 과오를 말이다.

자칫하면 지금의 자리에서 물러날 수도 있겠지.

'왜 내 상관임에도 이렇게 낮게 평가를 하냐고?'

지금의 모습만 척 봐도 알 수 있잖아.

다른 나라에서는 박람회의 성공을 축하하고 기뻐하는데, 우리는 지금 이게 뭐하는 꼴이냐고!

남 잘되는 게, 그렇게 배 아프냐?

'당신처럼 우월감에 찌들어 있는 인간이 있어서, 다른 나라처럼 발전하지 못하는 거라고요.'

스즈키가 말했다.

"마에다 총영사님. 이제 저는 나가 봐도 되겠습니까?"

시디를 보며 썩은 미소를 짓던 마에다가 기분 좋게 말

했다.

"그러도록 하게. 수고했네. 포상은 바로 지불하도록 하지. 관리과에 말해 두겠네."

"감사합니다."

스즈키가 고개를 숙이며 물러났다.

"흐흐흐. 깝또리놈. 금방 이렇게 들통날 것을 가지고 내게 사기를 쳤다는 거지."

마에다는 비릿하게 웃으며 노트북을 열었다.

"일단 화질 보정 프로그램을 열고……. 보자. 모자이크 프로그램도 열고…… 그래. 이 정도면 되겠군."

저화질? 모자이크?

그는 걱정하지 않았다.

"모자이크하면 바로 우리 일본이지. 암! 세계에서 가장 뛰어난 모자이크 제거 기술을 가진 나라가 바로 우리 일본이라고. 감히 꼼수를 부리기만 해 봐라. 흐흐흐."

잠시 후, 그는 고개를 갸우뚱했다.

"왜 이렇게 화면이 깨끗한 거지?"

아까 석굴암으로 입장하던 동영상에서 그는 위화감을 느꼈다.

화질은 깔끔했고, 군더더기도 없었다.

"아까는 분명히 이상했는데."

그는 스즈키를 원망했다.

"이렇게 잘된 영상을 가져오다니, 내가 그동안 스즈키를 너무 무시했던 건가?"

그가 책상을 탁 치며 중얼거렸다.

"이건 한 달짜리 아니라, 보름치를 내 걸었어야 했는데. 흠. 어쨌든 좋아."

그는 시디를 복사해서 메일을 보내고, 전화기를 집어 들었다.

"내 눈은 속여도 내 친구들의 눈을 속일 수는 없지. 그들은 세계 최고의 전문가니까!"

한국의 00일보.

편집장이 탁자로 '뉴욕타임즈'를 내던지며 인상을 구겼다.

"이거야 원. 부끄러워서 얼굴을 들 수가 있나."

눈 감고 심호흡을 하며, 마음을 가라앉힌 후 수화기를 들었다.

"어제 박람회 기사 가지고 온 글마들, 당장 내 방으로 오라고 해라. 뭐라꼬? 오늘도 거기 가 있다꼬? 또 한복 사진이나 한 뭉탱이 찍어 올란갑지. 지금 당장 기들어 오라꼬 해. 안 그라믄 다리 몽디 몽창 뿌사뿔끼니까!"

"편집장님, 부르셨습니까?"

밖에서 주의를 들었던 대로, 편집장실은 뿌연 담배 연기로 가득했다.

'이거 잘못 걸리면, 뺑뺑이 돌겠는데?'

어제는 분명히 칭찬을 들었었다. 현주라는 무용수의 아름다움을 절묘하게 찍었다고 말이다. 김 기자는 후배와 조용히 들어와, 편집장 앞의 소파에 앉았다.

편집장이 무거운 음성으로 입을 열었다.

"김 기자."

"네, 편집장님."

편집장의 숨 가다듬는 소리만 들렸다.

한참 만에야 그는 다시 입을 열었다.

"어제 있다 아이가! 찍을 끼 진짜로 한국 무용밖에 없드나?"

평소의 표준말 대신 걸쭉한 경상도 사투리가 튀어나오자, 김 기자는 바짝 긴장이 되었다.

그 말은 곧 편집장의 기분이 좋지 않다는 것이고, 어제의 기사를 거론한다는 것은 기사에 문제가 있다는 말과 같았다.

잘해 줄 때는 부처 같아도, 엄할 때는 호랑이 같은 편집장이었다.

'뭐가 편집장님 심기를 건드린 걸까?'

"그것 외에 건축 모형, 한복, 짚신……. 뭐 많았습니다만⋯⋯."

"다만⋯⋯?"

"선택과 집중 아니겠습니까? 가장 임팩트 있는 곳에다가⋯⋯."

"몰빵을 했다? 그기지?"

김 기자가 신중하게 고개를 끄덕였다.

"그래, 니 선택은 옳았다."

'휴.'

"오늘 신문 판매량이 니를 살렸다. 운 좋은 줄 알아라."

"네, 알겠습니다."

편집장의 말이 이어졌다.

"그란데, 니 선택은 틀렸다."

"네?"

아까는 옳았다고 하고, 지금은 틀렸다니?

김 기자가 고개를 번쩍 들었다.

편집장이 그의 앞으로 외국 신문 두 개를 집어 던졌다.

뉴욕 타임즈, 워싱턴 포스트,

"갑자기 이건 왜?"

편집장이 퉁명스레 말을 던졌다.

"니가 쓴 거하고 비교해 보그라. 어떤 기 더 임팩트 있노?"

〈한국 전통건축, 세계 진출을 향한 첫 포문을 열다.〉

이 타이틀과 함께, 첫 페이지를 장식한 사진은 로봇 갑돌이와 석굴암의 사진이었다.

현주의 사진은 일면 하단에 잠깐 얼굴을 비쳤을 뿐, 자신이 일면을 장식한 것과는 천양지차였다.

한국의 전통건축이 하이테크놀로지를 적극 활용해 전통 문화 홍보에 나섰다.

전혀 상상하지 못했던 방법으로 어떻게 하면 한국의 전통을 즐길 수 있고, 친해질 수 있는지, 그리고 그 접근 방법까지 세세하게 전달하고 있다. 한국을 몰랐던 사람들은 그 새로움에 매료될 것이며, 이미 알고 있던 이들도 그 색다른 관점에 재미를 느낄 것이다.

본 기자는 어제의 박람회를 통해서 한국 문화에 열렬한 팬이 되었다. 이 박람회는 미국식 블록버스터에 지친 사람들에게, 지금까지와는 전혀 다른, 새로운 세계로 안내하는 문이 될 것이라 확신한다.

〈관람 문의 : 02-000-0000〉

관람 장소와 시간, 즐기는 방법까지 세세하게 나와 있었다.

편집장이 말했다.

"일마들은 자질구레하게 설명 안 한다. '보고 싶으믄 가서 봐라. 이만큼 재밌다.' 니가 쓴 거랑 비교하믄 어떻노?"

김 기자는 고개를 숙였다.

어제 본 것들을 정확하게 나열하되, 그 중심을 잃지 않았다.

지금 생각해 보면 중심은 전통건축이었지, 춤사위가 아니었다.

"그게 너무 화려해서, 잠시 정신을 놓았었나 봅니다. 면목없습니다."

편집장이 담배를 비벼 끄며 말했다.

"그래도 니가 제일 사진을 잘 찍으가, 우리 신문이 젤로 마이 팔렸는갑더라. 별 문책은 없을 기다. 하지만 이거는 기자 자존심 아이가? 우리보담 외국 놈들이 더 우리 문화에 대해서 잘 파악하고 있으믄 니 쪽팔리가 외국 나가겠나? 한국 사람이라 말할 수 있겠나?"

은근하게 달래는 말에 김 기자의 눈시울이 붉어졌다.

"내가 니를 그리 갈챠났으이, 내 잘못도 있겠지? 내가 거기를 안 가봤으이까네 말을 몬 했는데, 내가 봤으믄, 제임슨가 뭔가 하는 일마맹키로 기사를 썼을 끼다. 솔직히 내도 이번 해나 작년이나 뭐가 다르겠노 생각했지, 이래 변화가 심할 줄 알았나? 알았으믄 선수를 쳤을 낀데."

그는 많이 아쉬운 듯, 마른침을 삼켰다.

"지나간 일은 인자 됐고, 마지막 글 봤나?"

"네?"

"함 읽어봐라."

기사 말미는 이렇게 장식하고 있었다.

〈더 적고 싶은 것이 많지만, 오늘은 석굴암을 이야기하는 데만
도 지면이 부족하다는 사실이 아쉬울 뿐이다. 그러나 아쉬워하지
마시라. 내일은 다른 건축물로 독자들을 찾아갈 테니.〉

"재미있으믄 내일 또 사보라꼬 광고까지 하고 있다 아이
가! 장사는 이래 하는 기다."

편집장이 말을 이었다.

"김 기자야, 맨날 말초신경이나 자극하는 기사만 쓰믄, 삼
류 못 벗어난데이. 제대로 해가 우리도 일류 소리 함 들어야
될 거 아이가. 으잉?"

"네! 이번에는 확실히 하겠습니다."

"어떻게?"

"네?"

"어떤 놈을 붙들 거냐고?"

"그게……."

"쯧쯧. 의욕만 앞서 가지고. 기사 대충 읽어 보믄, 어떤 놈
한테 소스를 얻었는지 딱 나온다 아이가! 어제 젤로 눈이 띄
는 놈이 누구더노?"

"로봇을 조종했던."

"그래, 아마도 글마한테서 소스를 얻었을 끼라."

김 기자의 머리에 어제 성훈이 백인 기자들과 이야기하던 장면이 떠올랐다.

'그게 대충 넘길 게 아니었네.'

앉아서 천리안이라 했던가?

편집장은 현장에 가지 않고도, 돌아가는 상황을 꿰뚫고 있었다.

기자 30년 경력이 아깝지 않은, 편집장의 통찰력이었다.

"하루!"

"네?"

"시간 하루 더 준다꼬!"

"네, 편집장님."

"지대로 쫌 해가 온나! 내가 느그 때문에 명대로 몬 살겠다. 으잉!"

"네, 편집장님. 확실히 해오겠습니다."

김 기자는 자리에서 벌떡 일어섰다.

"그래, 그래야지. 얼른 나가 봐라. 다른 신문사 아들잔테 자리 빼앗기믄 안 되지. 일 보거레이."

하루의 시간을 벌었다.

'그 갑돌이라는 녀석을 제대로 붙들어야겠는걸.'

이 정도는 아주 양호하게 넘어간 것이고, 다른 몇 군데의 신문사에서는 재떨이가 날아다녔다는 것은 언급하지 않겠다.

기다리던 전화벨이 울렸다.

폰을 열자마자, 흥분된 목소리가 들렸다.

−야! 이거 누구 작품이냐?

미국은 아직 밤, 그럼 일을 마치자마자 바로 확인을 한 모양이었다.

마에다가 말했다.

"깝또리라는 놈이다."

−깝또리? 마사키, 그런 이름이 있어?

마사키라는 말을 하는 것을 보니, 같이 있는 사람과 대화 중인 모양이었다.

잠시 후, 그가 퉁명한 목소리로 말했다.

−마에다! 혀 짧은 소리 하지 말고, 제대로 발음해라. 갑돌이다. 갑돌이! 이름을 보니, 한국 사람인가 보군.

"그렇다, 그걸 어떻게 안 거지? 아는 사람인가?"

−그걸 내가 어떻게 알아? 지인 중에 한국 사람이 있어서 그렇다.

마에다가 그의 의견을 물었다.

"어떤가? 소세키. 이상한 곳이 보이지 않던가?"

−이상한 곳?

"그래, 메일에 썼다시피 아무래도 이상해서 말이야. 석굴암이라는 동굴 안에만 들어가면, 꼭 실제로 찍은 것처럼 나온단 말이야. 내 생각에는 현실에서 찍은 것을 편집을 했던지, 아니면 3D라는 의혹을 지울 수가 없거든."

－나도 그 부분을 유심히 봤지. 하지만……

소세키가 고개를 젓는 모습이 보이는 듯했다.

－쯧. 이상한 점을 찾을 수가 없었어. 석굴암으로 들어가는 장면이 지극히 자연스럽게 이어지는 데다가, 네 말대로 이게 만약 3D라면……. 정말 할 말이 없군.

소세키는 진심으로 감탄하고 있었다.

'감탄해서는 안 된다고. 녀석의 약점을 잡아야 한단 말이다. 빠가야로!'

마에다는 언짢은 투로 소세키의 감상을 잘랐다.

"착각하지 마라. 소세키! 그놈은 절대로 사기꾼이다. 그것도 기가 찰 정도로 절묘한 사기꾼이지!"

－사기꾼? 쳇! 소개시켜 준다는 게 아니었어? 이 정도로 3D를 다룰 정도면 그야말로 괴물이라고. 우리도 한 수 접어 줘야 할 정도로.

"자네가 해야 할 일은 그것에서 이상한 것을 찾아내는 거야."

－날더러 고작 진위 여부를 확인하라는 말이냐? 내가 네 시다바리냐? 엉?

"너희들이 꼭 해줘야만 한다. 일본의 명예가 달린 일이란 말이다."

　─또 헛소리! 너, 그거 과대망상이다. 네가 일본이냐? 거절한다. 귀찮다. 돈 안 된다. 더 이유가 필요하냐? 양심이 있으면 그만 전화해라.

　귀찮음이 풀풀 묻어나는 그의 말에 마에다의 목소리가 올라갔다.

　"소세키! 네 녀석들이 처음 미국으로 진출할 때, 내게 입은 은혜를 잊은 것이냐? 너란 녀석은 그렇게 은혜를 모르는 인간이었나?"

　─휴. 또 은혜 타령이냐. 지친다.

　하지만 그는 결의에 찬 목소리로 소세키를 설득했다.

　"이번은 진심이다. 이번의 일만 해결해 주면, 다시는 은혜를 들먹이지 않겠다."

　─천황 폐하의 이름을 걸고 맹세해라.

　마에다의 표정이 일그러졌다.

　이렇게 맹세하고 나면 두 번 다시 부탁을 할 수 없으리라.

　소세키도 그것을 알기에 하는 말이겠지만.

　하지만 이번 일은 무슨 일이 있어도 진실을 밝혀내야 했다.

　'감히 한국 따위의 후진국이 일본을 능멸하다니! 있을 수 없는 일!'

　그가 결심을 굳혔다.

"알았다. 천황 폐하의 이름을 걸고 맹세한다."

─약속을 지키지 않을 시에는?

"할복하겠다. 반드시 지킨다."

소세키가 한숨을 내쉬며 승낙을 했다.

─좋아! 그럼 3D 원본을 보내! 이런 실력자는 이런 동영상 파일로는 진위 분간이 어렵다고.

"아니! 그럴 수는 없다. 직접 와서 확인해라."

─뭐야? 지금 일본으로 오라고? 미쳤냐? 여기 미국이야!

"아니, 한국이다. 그리고 내 부하, 스즈키가 목숨을 걸고 구해온 파일이다. 그의 수고를 물거품으로 만들 수야 없지. 반드시 해내야 한다."

─한국이나 일본이나!

"시간도 얼마 없다. 적어도 모레까지 정체를 밝히지 않으면, 영원히 완전 범죄로 남을지도 모른다."

수화기 너머로 수군거리는 소리가 들렸다.

─뭔데, 이렇게 통화가 길어지는 겁니까?

─몰라. 깝또리라는 놈 작품이 아무래도 편집된 영상인 것 같다고. 한국에 와서 진위를 확인해 달라고 하네?

─미친놈! 또 누가 빠가 돌게 한 모양이네. 하지 마!

─이제 은혜 안 들먹인단다. 이참에 끝내자. 끌려다니는 것도 지겹다.

─휴. 그렇다면 어쩔 수 없지.

-한번 가보자. 잘만 하면, 성훈 사마를 능가할 놈일지도 모른다고.

　-3D가 아닐 가능성도 높다고.

　-그럼 그것대로 대박이지. 스티브한테 보여 줬더니, 자기한테 소개해 달라고 하던데?

　-그럼 스티브도 가자고 해볼까? 이 정도 실력이면…….. 사실 만드는 건 우리가 나아도, 보는 건 그 사람이 더 좋잖아!

　-그래, 만약 진짜배기면 바로 우리 팀으로 영입하자고. 스티브가 채가기 전에.

　그들의 대화에 귀를 기울였다.

　'성훈 사마? 그 자식은 또 뭐하는 자식이야?'

　하지만 그는 들려오는 대답에 의문을 접었다.

　-알았다. 지금 바로 출발하지.

　내일이면 소세키의 드림팀이 한국으로 들어온다.

　그것도 스티브 감독이라는 무적의 옵션을 데리고 말이다.

　이건 어떤 놈이라도 빠져나가지 못한다.

　꾹 다문 어금니 사이로 승리의 웃음이 삐져나왔다.

　"깝또리, 고노야로. 네놈은 이제 끝났다! 흐흐흐."

to be continued

Wi.
Boo

우지호 장편소설

빅 라이프

돈도 없고 인기도 없는 무명작가 하재건,
필사적으로 글을 써도
절망뿐인 인생에 빛은 보이지 않는데……

어느 날,
그가 베푼 작은 선의가
누구도 믿지 못할 기적이 되어 찾아왔다!

'글을 쓰겠다고 처음 결심했던 때를
잊지 말게.'

무명작가의 인생 대반전!
지금 시작됩니다.